Lya Luft | *Pensar é transgredir*

Lya Luft

Pensar é transgredir

10ª edição

EDITORA RECORD
RIO DE JANEIRO • SÃO PAULO
2004

CIP-Brasil. Catalogação-na-fonte
Sindicato Nacional dos Editores de Livros, RJ.

L975p Luft, Lya, 1938-
10ª ed. Pensar é transgredir / Lya Luft. – 10ª ed. – Rio de Janeiro: Record, 2004.

ISBN 85-01-06969-8

1. Crônica brasileira I. Título.

04-0290 CDD 869.98
CDU 821.134.3(81)-8

Projeto de capa: Evelyn Grumach
Preparação de capa: Tatiana Podlubny
Projeto gráfico: Evelyn Grumach e Carolina Ferman
Ilustração de capa: pintura de Lena Bergstein

DISTRIBUIDORA RECORD DE SERVIÇOS DE IMPRENSA S.A.
Rua Argentina 171 • 20921-380 • Rio de Janeiro, RJ • Tel.: 2585-2000

Impresso no Brasil

ISBN 85-01-06969-8

PEDIDOS PELO REEMBOLSO POSTAL
Caixa Postal 23.052
Rio de Janeiro, RJ – 20922-970

À memória de Mafalda Verissimo, a dos inesquecíveis olhos azuis: que me quis bem, me compreendeu, queria me proteger, dividiu comigo alegrias e tristezas, e sobretudo mostrou que a passagem do tempo pode nos tornar mais amorosos, ainda interessados, e muito mais interessantes.

Sumário

Convite

Rótulos me parecem cada vez mais precários. Às vezes mais confundem do que esclarecem. Mas eventualmente são indispensáveis para que as coisas tomem forma, destacando-se da complexa realidade e do nebuloso pensamento nosso.

A maior parte dos textos deste livro podem-se chamar crônicas. Muitos foram publicados em jornal, outros são avulsos que saíram não lembro bem quando nem onde, ou apenas salvei no computador. Vários escrevi especialmente para este livro.

Romances, ensaios, poemas e textos breves são o meu jeito de rondar algo que me assusta ou seduz. São os meus temas, alguns dos temas humanos: tramas e dramas existenciais, o sentido e o valor da vida, o banal e o misterioso. A sentença que lançamos sobre nós mesmos, em nossas escolhas ou silêncios.

Escrevo sobre isolamento e ternura, a perturbadora ambivalência nossa, frivolidade e covardia, às vezes a graça e o riso.

Aqui e ali, a noite escura.

Não inventei ao dizer que meu leitor é cada vez mais a síntese dos amigos imaginários que me fizeram companhia na infância das minhas perplexidades.

Então, venha comigo.

1 | *Laços e punhais*

Certa vez errei uma tecla do computador, e em lugar de "perdas" saiu "peras".

Eu ia corrigir mas li de novo, achei muito mais bonito e deixei assim. Ninguém reclamou, nem os revisores.

Quem sabe um dos que estudam minha obra, preparando com a maior gravidade sua dissertação ou tese, pare, pense, morda a ponta da caneta ou fique olhando o computador, perplexo. Para depois discorrer filosoficamente sobre aquelas frutas perdidas num texto que nada tinha a ver com elas.

Dessa maneira acontecem mal-entendidos: amizades se perturbam, amores se rompem, pessoas se desencontram e magoam.

— Mas você tinha dito peras!

— Não, eu falei perdas!

— Peras...

— Perdas...

Perdeu-se nesse jogo inconsistente um pedaço de vida, um brilho de entendimento se apagou.

— Eu ia dizer que você me faz "muita falta", mas você entendeu "Você está em falta"... comigo, com a vida, consigo mesmo.

E passamos meia hora evitando nos olhar de frente, nesses momentos o universo esteve em desconserto, e nós desconcertados.

Quando eu era menina, certo dia num almoço fiquei observando a família à mesa, e aquelas pessoas tão conhecidas me pareceram umas enormes salsichas com tufos de pêlos no alto, bolinhas se mexendo (chamadas olhos — ansiosos, tranqüilos, amorosos ou hostis) e aquele furo no centro que se abria e fechava emitindo sons. A boca do beijo, do silêncio ou do insulto.

As outras salsichas também olhavam com seus botõezinhos de vidro brilhante, viravam-se para os lados, agitavam mãos ou abriam e fechavam seus furinhos-boca respondendo.

Palavras esvoaçavam sobre a mesa como bilhetes, sinais de fumaça ou borboletas perdidas. Um falava, outro compreendia e devolvia sinais sonoros. Mas de repente alguém não ouviu direito: os olhinhos ficaram duros, os sons da boca estridentes, ou baixos mas furiosos.

Agitação na sala de jantar. Briga em família.

Então nem sempre que alguém dizia "flor" o outro pensava "flor"? E podia entender "pedra"? Em lugar de enviar sobre a mesa palavras-borboleta, jogavam palavras-pedra? Nada era simples. O mundo se desarrumava um pouco por causa desses mal-entendidos.

Até ali, para mim palavras eram objetos mágicos: agora via que podiam ser traiçoeiros. Belos de olhar, mas duros, com arestas cortantes; caramelos de vários sabores que eu deixava rolar na boca com delícia, porém a gente podia se engasgar, até morrer.

Não era só prazer a linguagem: peras, perdas, fazer falta, estar em falta ou sentir falta. Desacordo, desconserto.

Ambivalentes como nós, palavras preparam armadilhas ou abrem portas de sedução. Embalam ou derrubam, enredam em doces laços, ou nos matam dolorosamente — como punhais.

2 | *Agendar a vida*

Abro uma página da minha agenda para demarcar mais uma vez o território de minha liberdade e o dos meus deveres — que é onde ela começa a perder pé. A fantasia não pede licença para se desenrolar: logo vejo uma infinidade de mesas e escrivaninhas, cada uma com sua agenda, nela a floresta dos compromissos, mal sobrando alguma trilha estreita para andar e respirar. (Nas folhas desta minha atual quero abrir entrelinhas para contemplar a árvore em flor diante de minha janela, ou pegar nos braços uma das crianças que povoam esta casa.)

Vejo também agendas quase vazias onde se procura melancolicamente algo para quebrar o sem-sentido da vida: nem uma visita, uma data de aniversário, nenhum afeto nomeado, nem ao menos um pagamento nesses dias que parecem um deserto sem contornos.

Nem uma miragem ao longe?

Pessoalmente não vivo sem uma agenda, aquelas de bloco, ao lado do computador. Às vezes olhar a folhinha me dá alegria: um encontro bom, ou um dia inteiro só pra mim. Em outras folhas, um engarrafamento de garatujas (minha letra, horror das professoras desde os primeiros anos de escola) com mais compromissos do que meu fundamental desejo de liberdade quereria.

Agenda pode ser tormento e prisão. Mas pode ser liberdade, se a gente inventar brechas: em plena tarde da semana, caminhar na calçada; sentar ao sol na varanda do apartamento; deitar na grama do parque ou jardim, por menor que ele seja, e como criança olhar as nuvens, interpretando suas formas: camelo, coelho, árvore ou anjo.

Ou: quinze minutos para se recostar para trás na cadeira (pode ser do escritório mesmo) e espiar o céu fora da janela; ir até a sala, esticar-se no sofá com as pernas sobre o braço do próprio, e ouvir música, ver televisão, ler, ler, ler... ou simplesmente não fazer nada.

O ócio é uma possibilidade infinita a ser explorada.

Não falo da inércia, do desânimo, do vazio melancólico. Jamais falarei de ficar de robe velho e pantufas (vi numa vitrine algumas com cara de cachorro e até orelhas!) pela casa até o meio da tarde.

Falo de viver.

"Parar, olhar, escutar", dizia um aviso nos trilhos do trem quando havia trem entre minha cidade e Porto Alegre. A gente passava de carro sobre o trilho, e eu imaginava o horror de alguém infringir isso e ser explodido pelo monstro de ferro e fumaça.

A vida há de rolar por cima da gente, reduzindo a poeirinha inútil quem se esquecer de às vezes parar pra pensar... mas sem se desmontar; olhar em torno ou para dentro: paisagens belas, ou áridas (sempre dá pra plantar um capim) ou quem sabe coloridas (a alma pode brincar de esconde-esconde entre as folhas).

E escutar: a música do universo, o canto do sabiá (que tem começado às 3 da madrugada fria, atarantado neste clima estranho); a risada da criança no andar de cima; enfim, o chamado da vida que nos convoca de mil formas: anda, sai do marasmo, viveeeeeeeeeee!!

Que nossas agendas (também as interiores) nos permitam muitas vezes a plenitude do nada sorvido como um gole de champanha, celebrando tudo.

Sem culpa.

3 | *Canção das mulheres*

Que o outro saiba quando estou com medo, e me tome nos braços sem fazer perguntas demais.

Que o outro note quando preciso de silêncio e não vá embora batendo a porta, mas entenda que não o amarei menos porque estou quieta.

Que o outro aceite que me preocupo com ele e não se irrite com minha solicitude, e se ela for excessiva saiba me dizer isso com delicadeza ou bom humor.

Que o outro perceba minha fragilidade e não ria de mim, nem se aproveite disso.

Que se eu faço uma bobagem o outro goste um pouco mais de mim, porque também preciso poder fazer tolices tantas vezes.

Que se estou apenas cansada o outro não pense logo que estou nervosa, ou doente, ou agressiva, nem diga que reclamo demais.

Que o outro sinta quanto me dói a idéia da perda, e ouse ficar comigo um pouco — em lugar de voltar logo à sua vida, não porque lá está a sua verdade mas talvez seu medo ou sua culpa.

Que se começo a chorar sem motivo depois de um dia daqueles, o outro não desconfie logo que é culpa dele, ou que não o amo mais.

Que se estou numa fase ruim o outro seja meu cúmplice, mas sem fazer alarde nem dizendo "Olha que estou tendo muita paciência com você!"

Que se me entusiasmo por alguma coisa o outro não a diminua, nem me chame de ingênua, nem queira fechar essa porta necessária que se abre para mim, por mais tola que lhe pareça.

Que quando sem querer eu digo uma coisa bem inadequada diante de mais pessoas, o outro não me exponha nem me ridicularize.

Que quando levanto de madrugada e ando pela casa, o outro não venha logo atrás de mim reclamando: "Mas que chateação essa sua mania, volta pra cama!"

Que se eu peço um segundo drinque no restaurante o outro não comente logo: "Pôxa, mais um?"

Que se eu eventualmente perco a paciência, perco a graça e perco a compostura, o outro ainda assim me ache linda e me admire.

Que o outro — filho, amigo, amante, marido — não me considere sempre disponível, sempre necessariamente compreensiva, mas me aceite quando não estou podendo ser nada disso.

Que, finalmente, o outro entenda que mesmo se às vezes me esforço, não sou, nem devo ser, a mulher-maravilha, mas apenas uma pessoa: vulnerável e forte, incapaz e gloriosa, assustada e audaciosa — uma mulher.

4 | *Pensar é transgredir*

Não lembro em que momento percebi que viver deveria ser uma permanente reinvenção de nós mesmos — para não morrermos soterrados na poeira da banalidade embora pareça que ainda estamos vivos.

Mas compreendi, num lampejo: então é isso, então é assim. Apesar dos medos, convém não ser demais fútil nem demais acomodada. Algumas vezes é preciso pegar o touro pelos chifres, mergulhar para depois ver o que acontece: porque a vida não tem de ser sorvida como uma taça que se esvazia, mas como o jarro que se renova a cada gole bebido.

Para reinventar-se é preciso pensar: isso aprendi muito cedo.

Apalpar, no nevoeiro de quem somos, algo que pareça uma essência: isso, mais ou menos, sou eu. Isso é o que eu queria ser, acredito ser, quero me tornar ou já fui. Muita inquietação por baixo das águas do cotidiano. Mais cômodo seria ficar com o travesseiro sobre a cabeça e adotar o lema reconfortante: "Parar pra pensar, nem pensar!"

O problema é que quando menos se espera ele chega, o sorrateiro pensamento que nos faz parar. Pode ser no meio do shopping, no trânsito, na frente da tevê ou do computador. Simplesmente escovando os dentes. Ou na hora da droga, do sexo sem afeto, do desafeto, do rancor, da lamúria, da hesitação e da resignação.

Sem ter programado, a gente pára pra pensar.

Pode ser um susto: como espiar de um berçário confortável para um corredor com mil possibilidades. Cada porta, uma escolha. Muitas vão se abrir para um nada ou para algum absurdo. Outras, para um jardim de promessas. Alguma, para a noite além da cerca. Hora de tirar os disfarces, aposentar as máscaras e reavaliar: reavaliar-se.

Pensar pede audácia, pois refletir é transgredir a ordem do superficial que nos pressiona tanto.

Somos demasiado frívolos: buscamos o atordoamento das mil distrações, corremos de um lado a outro achando que somos grandes cumpridores de tarefas. Quando o primeiro dever seria de vez em quando parar e analisar: quem a gente é, o que fazemos com a nossa vida, o tempo, os amores. E com as obrigações também, é claro, pois não temos sempre cinco anos de idade, quando a prioridade absoluta é dormir abraçado no urso de pelúcia e prosseguir, no sono, o sonho que afinal nessa idade ainda é a vida.

Mas pensar não é apenas a ameaça de enfrentar a alma no espelho: é sair para as varandas de si mesmo e olhar em torno, e quem sabe finalmente respirar.

Compreender: somos inquilinos de algo bem maior do que o nosso pequeno segredo individual. É o poderoso ciclo da existência. Nele todos os desastres e toda a beleza têm significado como fases de um processo.

Se nos escondermos num canto escuro abafando nossos questionamentos, não escutaremos o rumor do vento nas árvores do mundo. Nem compreenderemos que o prato das inevitáveis perdas pode pesar menos do que o dos possíveis ganhos.

Os ganhos ou os danos dependem da perspectiva e possibilidades de quem vai tecendo a sua história. O mundo em si não tem sentido sem o nosso olhar que lhe atribui identidade, sem o nosso pensamento que lhe confere alguma ordem.

Viver, como talvez morrer, é recriar-se: a vida não está aí apenas para ser suportada nem vivida, mas elaborada. Eventualmente reprogramada. Conscientemente executada. Muitas vezes, ousada.

Parece fácil: "escrever a respeito das coisas é fácil", já me disseram. Eu sei. Mas não é preciso realizar nada de espetacular, nem desejar nada excepcional. Não é preciso nem mesmo ser brilhante, importante, admirado.

Para viver de verdade, pensando e repensando a existência, para que ela valha a pena, é preciso ser amado; e amar; e amar-se. Ter esperança; qualquer esperança.

Questionar o que nos é imposto, sem rebeldias insensatas mas sem demasiada sensatez. Saborear o bom, mas aqui e ali enfrentar o ruim. Suportar sem se submeter, aceitar sem se humilhar, entregar-se sem renunciar a si mesmo e à possível dignidade.

Sonhar, porque se desistimos disso apaga-se a última claridade e nada mais valerá a pena. Escapar, na liberdade do pensamento, desse espírito de manada que trabalha obstinadamente para nos enquadrar, seja lá no que for.

E que o mínimo que a gente faça seja, a cada momento, o melhor que afinal se conseguiu fazer.

5 | *O menino e sua mãe*

Faz uns trinta anos, um menino e sua mãe voltavam das compras no ônibus quase vazio.

Ele segurava no colo o presente cobiçado: um microscópio "de verdade", dado pelo pai, mas a mãe fora com ele comprar. De vez em quando ele passava a mão no pacote: "Parece mentira, né, mãe?" Olhar sonhador. No meio do trajeto houve então um desses diálogos inesquecíveis.

— Mãe, que igreja é essa?

— Nossa Senhora Auxiliadora.

— Por que tem tanta Nossa Senhora? Não era só uma?

— É uma sim, filho, mas ela tem muitos nomes.

— E o Nosso Senhor é são Pedro, né?

— Não, é Jesus, ora. Quem casou com ela foi são José. São Pedro era amigo de Jesus.

A mãe suspirou: não praticar religião em casa dava nisso.

— Ah... e por que o José não é o Nosso Senhor, se era casado com Nossa Senhora?

Os olhos azuis, calmos mas interrogativos, começavam a deixar a mãe inquieta.

— Acho que é porque Jesus e Nossa Senhora são mais importantes, filho.

— Mas o José não era o pai dele?

— Não era de verdade, o pai dele era Deus, José era pai adotivo.

— Ah... Então Jesus não nasceu da sementinha do José?

O silêncio no ônibus começava a se tornar imenso. O menino falava em voz alta e clara, pra ele era tudo natural, assim ensinavam em casa.

A mãe pensou por um momento, por que a gente inventou isso de falar das coisas como se fossem naturais? E, embora se considerasse uma mulher razoavelmente moderna, com uma visão saudável da vida — que estava transmitindo aos filhos num tempo em que o tema não era tão francamente abordado —, naquela hora quase duvidou de que *fossem* assim tão naturais.

Afinal, estavam em público.

O menino a seu lado porém aguardava resposta, respostas.

— Não, filho, Deus fez brotar a sementinha direto em Nossa Senhora, foi um milagre.

— Ué, então não foi como nas pessoas?

Agora o silêncio podia ser cortado com faca.

— Não, filho, não foi.

— Ah...

A mãe se fez de distraída, olhava pela janela, sentindo os outros passageiros aguçando o ouvido, como será que ela vai se sair dessa?

O menino pensava concentrado.

— Mãe, como é que antigamente, assim beeeem antigamente, no tempo dos dinossauros por exemplo, as primeiras pessoas sabiam como se fazia pra ter bebê, se não tinham ninguém pra ensinar pra elas?

— Essas coisas a natureza ensina.

— Mas a natureza não é pessoa pra ensinar a gente...

— Quer dizer, quando a gente cresce aprende por si.

No olhar azul transparecia uma certa pena, quem sabe a mãe não era tão inteligente assim. O menino, generoso, resolveu mudar de assunto.

— Mãe, olha, aí estava escrito rua Mozart! Será que ele mora aqui?

— Ele quem, filho?

— O MOZART, mãe, ora. Quem ia ser?

— Não, filho, ele viveu na Europa.

— Ah é? Até achei que era nos Estados Unidos.

— Por que Estados Unidos?

A mãe começava a se divertir, aliviada com aquele diálogo menos perigoso.

— Ué, porque é lá que moram pessoas importantes, o presidente Kennedy e o Cyborg.

— Ah...

Finalmente desembarcaram; ainda segurando o pacote, o menino retomou seu ar sonhador.

— Mãe, como eu tenho um pai bom, né?

Mas aí pensou melhor, espiou de relance com arzinho maroto a mãe que levantava, sorrindo, um dedo em riste, e emendou bem depressa:

— E mãe também, claro...

6 | *Visitas à velha senhora*

Alguma dura experiência me ensinou que nem sempre a vida é o bem supremo: o bem supremo seria uma vida em que, em qualquer idade, houvesse espaço para afetos e projetos.

Mesmo na avançada velhice, havendo exercício de ternura e algum desejo — ainda que admirar a paisagem pela janela —, a vida valeria a pena.

Para que não pensem que meu olhar otimista ignora o lado da sombra, relato aqui um pouco das minhas inúteis e profundamente tristes visitas a uma velha dama, para quem há vários anos me tornei apenas isso: uma desconhecida que está de passagem.

Primeiro eu a encontrava em seu apartamento com os móveis pessoais e objetos de antigamente. Depois passei a vê-la no quarto da clínica onde recebe cuidados que em casa já era impossível dar. Seu universo reduzira-se ao mundo interior: ali comemorava quinze anos, ali era noiva ou tinha um bebê.

Geralmente ostentava um sereno ar de devaneio; em certas horas dialogava enfaticamente com quem só ela podia ver.

Mais bem-humorada na alienação do que nos últimos anos de lucidez ameaçada, que eventualmente a assustava muito:

— Você acha que eu estou ficando doida?

— Claro que não, mas que bobagem. Todo mundo às vezes se esquece, ou faz qualquer coisa que depois parece esquisita.

Mesmo na clínica, em certos momentos parecia a elegante anfitriã que um dia fora: "Você quer um chá?", perguntava duas, cinco, dez vezes, não por insistência mas porque ao indagar já o esquecia. Era um lampejo da que outrora recebia amigos na sua sala entre velhos tapetes persas e vasos de cristal onde floresciam como requintadas esculturas as inesquecíveis rosas do seu jardim, de nomes hieráticos e belos.

No começo me reconhecia, para logo me confundir com outras pessoas; depois nunca mais percebeu quem eu era. O discreto quarto de agora e a casa de outros tempos fundiramse, primeiro numa paisagem esfumada, e nos últimos anos em praticamente nada. Limbo.

O que sonha, na redoma da sua desmemória? Quando inventa palavras, o que realmente quer dizer... ou não quer dizer mais nada?

Embora dominada pela enfermidade que lhe trava cérebro e corpo, ela resiste ao tempo e ao meu desejo de ao menos mais algum contato — resiste até mesmo à morte.

Às vezes eu a pressinto, a Senhora Morte, à espreita num canto do aposento. Preguiçosa ou cruel, lixa as longas unhas roxas e cobre a cara com seus cabelos brancos de melancólica Rapunzel. Tem tempo, sabe esperar — espera demais.

Aconchegada na sua cápsula do tempo, da última vez que estive com a velha dama, ela, que há muito não falava, entreabriu os olhos e disse baixinho para si mesma, para alguém — para ninguém:

— Que bom estar assim, tão leve e tão jovem.

E voltou a enrolar-se no xale do seu enigma.

Um dia finalmente a Senhora Morte há de se compadecer: sem dor nem alarde soprará a chamazinha tênue, fechando a última porta desse corredor demasiado, e levará consigo essa que apenas perdura.

Mas o riso alegre, o passo enérgico, o perfume, a voz — e aquelas rosas — permanecerão comigo: imagens inapagáveis de quem na verdade já partiu, mesmo que ainda não tenham baixado todas as cortinas.

7 | *Relacionamento perfeito*

O assunto pode ser dramático ou engraçado, tão humano e tão difícil de entender.

A mim, sempre buscando explicações e significados porque tão pouco entendo, me ocorre falar ou escrever exatamente sobre aquilo que menos sei. Trabalho interminável, espécie de suplício de Sísifo: o pobre todo dia empurrando montanha acima uma grande pedra que voltava a rolar pela encosta, a fim de que o torturado recomeçasse mais uma vez.

Querer alcançar o significado das coisas, da vida, das gentes, de seus relacionamentos e desencontros, é um pouco assim.

Seguidamente me indagam — ou tento imaginar — o que seria um relacionamento perfeito. Eu ia escrever "casamento", mas preferi a outra palavra, porque ela não tem nada a ver com cartório e burocracia, opressão ou coerção social e familiar: tem a ver com querer se ligar a alguém, e querer continuar ligado.

Cada dia, ao acordar, fazer de novo a escolha: eu quero mesmo é você comigo.

Mas "perfeito" é uma palavra tola: perfeição, só no céu de todas as utopias. Aqui, nesta nossa terra nada utópica, perfeição me pareceria um pouco entediante: como, nada a reclamar, tudo assim direitinho?

Olho pela janela e bocejo: muito sem graça, a tal perfeição. O céu com anjos tocando harpa pelo tempo sem tempo me deixava pasmada já na infância. Nada mais? Nem uma brincadeira proibida, um escorregão nas nuvens, uma risada na hora do sagrado silêncio... nem uma transgressãozinha na ordem celestial?

Minha alma indisciplinada não encontraria alimento nem estímulo, e ia-se desfazer em fiapo de nuvem embaixo de algum armário onde se guardassem os relâmpagos e os trovões, e todas as duras sentenças.

Então, relacionamento perfeito, nem pensar.

Mas uma ligação de cumplicidade e ternura, de sensualidade e mistério, ah, essa eu acho que pode existir. Como todos os contratos (não falo dos de papel mas de corpo, coração e mente), esse precisa ser renovado de vez em quando: a gente tira o contrato da gaveta da alma, e discute. Briga talvez, chora, reclama, mas ainda ama, ainda deseja. Ainda quer o abraço, o passo no corredor, o corpo na cama, o olhar atento por cima da xícara de café... quer até a desorganização e a ruptura, para depois de novo o que é bom se reconstruir.

Que seja vital: isso me parece uma boa parceria. Que seja dinâmica, seja lá o que isso significa em cada caso. Pelo menos, não acomodada; mas muito aconchegante.

Que seja sensual e amiga, essa ligação: se não gosto do outro como ser humano, com seus defeitos, sua generosidade e egoísmo, força e fragilidade, se não o quereria como amigo... como então, mesmo com tempero do desejo, posso me relacionar com ele para uma vida a dois?

O tema é quase infinito: pois cada caso é um caso, assim como cada casal é um casal, e cada fase da vida do indivíduo ou dos dois é diferente.

O bom é quando essa constante transformação se faz para maior cumplicidade, e não mais distanciamento.

Que um relacionamento não seja prisão; que não seja enfermaria nem muleta; mas que seja vida, crescimento (turbulências eventuais incluídas).

Que seja libertação e ajuda mútua; não fiscalização e condenação, a sentença pronunciada numa frase gélida ou num olhar acusador, ar de reprovação ou lamúria explícita.

Que seja cumplicidade, porque a vida já é difícil sem afetos. O som dos passos no corredor pode ser um conforto inacreditável, o corpo ao lado na cama uma âncora para a alma aflita. O entendimento recíproco é um oásis no isolamento desta nossa vida pressionada por tempo, dinheiro, regras, mil solicitações de família, trabalho, grupo social, realidade do mundo.

Que seja presença e companhia, o relacionamento bom: pois a solidão é um campo demasiado vasto para ser atravessado a sós.

8 | *O lado negro*

O lado negro — que nada tem a ver com um poético Lago Negro de Gramado — está falsamente quieto em algum canto de todos nós.

Aqui e ali rebrilha, se agita. Uma poeirinha, uma folha leve, um vento-quase-nada mexem com ele. Mas nas águas mais profundas aquilo ferve e espreita: o mal. A destruição do outro ou de si mesmo. A força negativa, o animal predador. O ódio.

Sempre me impressionou essa capacidade do mal. Esticar as minhocas e rebentá-las em duas para enfiar no meu anzol de alfinete quando eu tinha seis anos e pescava com meu pai no minúsculo lago nos fundos da casa, me dava essa estranha sensação: então agora a maldade é permitida?

Depois cortar a cabeça do peixe, o olho dele me fitando, tão humano. A gente às vezes tinha licença de ser cruel.

Hoje não pesco nem com anzol de alfinete, mas a violência é muito mais dramática ao meu redor. No mundo, na cidade, no campo. Em cada rua minha. O impulso destrutivo se espalha favorecido por leis confusas, modelos excusos e permissividade que vem do berço e acaba no trono — ou será apenas que a imprensa (sempre esse bode expiatório) despeja tudo aumentado em meu colo? Na minha alma?

Penso que não é ilusão, mas que tudo realmente se multiplicou, porque estamos cada dia mais aflitos e mais cruéis. Mais frios também. Para nos protegermos da dor, do nosso deserto de emoções e valores, quem sabe?

Estamos usando demais a lei de Talião, dente por dente. Ainda que sejam uns dentes bem desproporcionais: Não consegui emprego que me pague o que preciso, e fico furioso embora sabendo que sou despreparado para um cargo desses?

Bom, já que estou furioso, vou matar uma velhinha.

Dente por dente.

Não consegui a droga, e preciso urgente dessa grana? Vou assaltar um adolescente. Pego o relógio, os tênis, e vendo. E, se me der na telha, dou um tiro na barriga dele também.

Dente por dente.

Meu pai se droga, minha mãe se prostitui, meu chefe anda com motorista no seu carrão e eu mal tenho pro ônibus? Vou currar aquele casalzinho ali.

Mais um dente.

O cara aí tem terra que não acaba mais. Eu, nem um telhado sobre a cabeça, nem uma hortinha, nem ajuda nem nada. Então vou lá, junto um bando, entro na propriedade dele, dou uns bofetes nele e na sua velha, umas pauladas nos seus peões, carneio seu gado, toco fogo na sua casa.

Dentes por dentes.

E os terroristas, que andam se explodindo e arrasando vidas a granel, devem pensar mais ou menos na mesma linha: Meu país está ferrado mesmo, aí vêm os caras de uma organização qualquer e se instalam por aqui dizendo que vão nos ajudar? Nada disso, eles querem é o petróleo, a riqueza, nos esmagar, tudo. Então, vamos explodir um ônibus cheio de criancinhas. Ou aquele edifício, bem ali onde fica o escritório do imperialista que veio nos explorar.

Dente por dentes.

Quem sabe logo uma dentadura inteira.

9 | *Um pouco de silêncio*

Nesta trepidante cultura nossa, da agitação e do barulho, gostar de sossego é uma excentricidade. Sob a pressão do ter de parecer, ter de participar, ter de adquirir, ter de qualquer coisa, assumimos uma infinidade de obrigações. Muitas desnecessárias, outras impossíveis, algumas que não combinam conosco nem nos interessam.

Não há perdão nem anistia para os que ficam de fora da ciranda: os que não se submetem mas questionam, os que pagam o preço de sua relativa autonomia, os que não se deixam escravizar, pelo menos sem alguma resistência.

O normal é ser atualizado, produtivo e bem-informado. É indispensável circular, estar enturmado. Quem não corre com a manada praticamente nem existe, se não se cuidar botam numa jaula: um animal estranho.

Acuados pelo relógio, pelos compromissos, pela opinião alheia, disparamos sem rumo — ou em trilhas determinadas — feito hâmsteres que se alimentam de sua própria agitação.

Ficar sossegado é perigoso: pode parecer doença. Recolher-se em casa ou dentro de si mesmo, ameaça quem leva um susto cada vez que examina sua alma.

Estar sozinho é considerado humilhante, sinal de que não se arrumou ninguém — como se amizade ou amor se "arrumasse" em loja. Com relação a homem pode até ser libertário: enfim só, ninguém pendurado nele controlando, cobrando, chateando. Enfim, livre!

Mulher, não. Se está só, em nossa mente preconceituosa é sempre porque está abandonada: ninguém a quer.

Além do desgosto pela solidão, temos horror à quietude. Logo pensamos em depressão: quem sabe terapia e antidepressivo? Criança que não brinca ou salta nem participa de atividades frenéticas está com algum problema.

O silêncio nos assusta por retumbar no vazio dentro de nós. Quando nada se move nem faz barulho, notamos as frestas pelas quais nos espiam coisas incômodas e mal resolvidas, ou se enxerga outro ângulo de nós mesmos. Nos damos conta de que não somos apenas figurinhas atarantadas correndo entre casa, trabalho e bar, praia ou campo.

Existe em nós, geralmente nem percebido e nada valorizado, algo além desse que paga contas, transa, ganha dinheiro, e come, envelhece, e um dia (mas isso é só para os outros!) vai morrer. Quem é esse que afinal sou eu? Quais seus desejos e medos, seus projetos e sonhos?

No susto que essa idéia provoca, queremos ruído, ruídos. Chegamos em casa e ligamos a televisão antes de largar a bolsa ou pasta. Não é para assistir a um programa: é pela distração.

Silêncio faz pensar, remexe águas paradas, trazendo à tona sabe Deus que desconserto nosso. Com medo de ver quem — ou o que — somos, adia-se o defrontamento com nossa alma sem máscaras.

Mas, se a gente aprende a gostar um pouco de sossego, descobre — em si e no outro — regiões nem imaginadas, questões fascinantes e não necessariamente ruins.

Nunca esqueci a experiência de quando alguém botou a mão no meu ombro de criança e disse:

— Fica quietinha, um momento só, escuta a chuva chegando.

E ela chegou: intensa e lenta, tornando tudo singularmente novo. A quietude pode ser como essa chuva: nela a gente se refaz para voltar mais inteiro ao convívio, às tantas frases, às tarefas, aos amores.

Então, por favor, me deem isso: um pouco de silêncio bom para que eu escute o vento nas folhas, a chuva nas lajes, e tudo o que fala muito além das palavras de todos os textos e da música de todos os sentimentos.

10 | *Osteoporose na alma*

Terei de mandar este bilhete por correio (ainda bem que não precisa ser por mensageiro a cavalo) em vez de lhe passar imediatamente pelo computador.

Pois você me disse que nem pensa em adquirir uma "geringonça" dessas. Detesta modernismos e mudanças. Embora esteja infeliz, não quer mudar nada em sua vida.

Também comentou que jamais permitirá nenhuma reforma em sua casa. "Tudo deve ficar como está desde que foi construída." Onde se viu, nunca reformar nada na casa, na vida — na gente mesmo? Vagamente você sente que ainda poderia fazer algo em seu favor, mas está desanimado.

Se quer começar, vá pelo prático e pequeno: para uma mulher doméstica, arrumar armários botando fora uma porção de velharias inúteis ou alterar a posição dos móveis conforme seu agrado — ainda que os outros da casa reclamem — pode ser um bom início.

Para você, eu diria, por exemplo (correndo intencionalmente o risco de lhe parecer fútil): compre um computador. Use-o para pesquisar, para se comunicar e divertir. Fique ligado no mundo. Escolha o que há de positivo na modernidade.

Pra que ficar de fora com ar tristonho? Enclausurar-se não ajuda a ninguém, muito menos a você mesmo, e promove a autocompaixão — feio sentimento.

Você diz que ficou chocado ao perceber que tinha "perdido o bonde da vida profissional e pessoal porque não estava atento aos sinais". Conheço gente da sua área e sua idade que ainda se informa e atualiza, por puro prazer. Não é verdade que uma profissão "largue a gente". É sempre a gente que ficou no ar, desatento.

Use seu tempo e dinheiro (já que você tem ao menos o suficiente) para sua alegria. A vida é uma mesa posta, com venenos mortais, pratos insossos e outros deliciosos. Alguns conscientemente escolhem veneno, achando que viver é sofrer, e ponto final. Outros comem — e vivem — sem sal.

Mas há os que, quando podem, pegam as delícias da vida e assim se salvam da areia movediça da depressão.

Espero que você não ache que prazer é ruim. Opte pelo positivo. Queira ser um pouco feliz, entusiasme-se por alguma coisa possível de atingir dentro de suas condições, faça um esforço para se libertar do pessimismo.

Pensar sempre negativo vira doença, uma *osteoporose da alma*.

Mas se nada disso for possível, porque esse, como você diz, é o seu jeito, aceite este bilhete como uma afetuosa falta minha de... jeito.

11 | *História dos sentimentos*

A base desta historinha, que adaptei, me mandou Martha Herzberg, terapeuta fantástica e amada amiga. Segundo ela, o autor é anônimo, mas desconfio que foi dela essa deliciosa idéia.

Os Sentimentos Humanos certo dia se reuniram para brincar. Depois que o Tédio bocejou três vezes porque a Indecisão não chegava a conclusão nenhuma e a Desconfiança estava tomando conta, a Loucura propôs que brincassem de esconde-esconde. A Curiosidade quis saber todos os detalhes do jogo, e a Intriga começou a cochichar com os outros que certamente alguém ali iria trapacear.

O Entusiasmo saltou de contentamento e convenceu a Dúvida e a Apatia, ainda sentadas num canto, a entrarem no jogo. A Verdade achou que isso de esconder não estava com nada, a Arrogância fez cara de desdém pois a idéia não tinha sido dela, e o Medo preferiu não se arriscar: "Ah, gente, vamos deixar tudo como está", e como sempre perdeu a oportunidade de ser feliz.

A primeira a se esconder foi a Preguiça, deixando-se cair no chão atrás de uma pedra, ali mesmo onde estava. O

Otimismo escondeu-se no arco-íris, e a Inveja se ocultou junto com a Hipocrisia, que sorrindo fingidamente atrás de uma árvore estava odiando tudo aquilo.

A Generosidade quase não conseguia se esconder porque era grande e ainda queria abrigar meio mundo, a Culpa ficou paralisada pois já estava mais do que escondida em si mesma, a Sensualidade se estendeu ao sol num lugar bonito e secreto para saborear o que a vida lhe oferecia, porque não era nem boba nem fingida; o Egoísmo achou um lugar perfeito onde não cabia ninguém mais.

A Mentira disse para a Inocência que ia se esconder no fundo do oceano, onde a inocente acabou afogada, a Paixão meteu-se na cratera de um vulcão ativo, e o Esquecimento já nem sabia o que estavam fazendo ali.

Depois de contar até 99 a Loucura começou a procurar. Achou um, achou outro, mas ao remexer num arbusto espesso ouviu um gemido: era o Amor, com os olhos furados pelos espinhos.

A Loucura o tomou pelo braço e seguiu com ele, espalhando beleza pelo mundo. Desde então o Amor é cego e a Loucura o acompanha.

Juntos fazem a vida valer a pena — mas isso não é coisa para os medrosos nem para os apáticos, que perdem a felicidade no matagal dos preconceitos, onde rosnam os deuses melancólicos da acomodação.

12 | *Nós, os brasileiros*

Uma editora européia me pede que traduza poemas de autores estrangeiros sobre o Brasil.

Como sempre, eles falam da floresta amazônica, uma floresta muito pouco real, aliás. Um bosque poético, com "mulheres de corpos alvíssimos espreitando entre os troncos das árvores, e olhos de serpentes hirtas acariciando esses corpos como dedos amorosos". Não faltam flores azuis, rios cristalinos e tigres mágicos.

Traduzo os poemas por dever de ofício, mas com uma secreta — e nunca realizada — vontade de inserir ali um grãozinho de realidade.

Nas minhas idas (nem tantas) ao exterior, onde convivi sobretudo com escritores ou professores e estudantes universitários — portanto, gente razoavelmente culta —, fui invariavelmente surpreendida com a profunda ignorância a respeito de quem, como e o que somos.

— A senhora é brasileira? — comentaram espantados alunos de uma universidade americana famosa. — Mas a senhora é loira!

Depois de ler num congresso de escritores em Amsterdam um trecho de um de meus romances traduzido em inglês, ouvi de um senhor elegante, dono de um antiquário famoso, que segurou comovido minhas duas mãos:

— Que maravilha! Nunca imaginei que no Brasil houvesse pessoas cultas!

Pior ainda, no Canadá alguém exclamou incrédulo:

— Escritora brasileira? Ué, mas no Brasil existem editoras?

A culminância foi a observação de uma crítica berlinense, num artigo sobre um romance meu editado por lá, acrescentando, a alguns elogios, a grave restrição: "porém não parece livro brasileiro, pois não fala nem de plantas nem de índios nem de bichos".

Diante dos três poemas sobre o Brasil, esquisitos para qualquer brasileiro, pensei mais uma vez que esse desconhecimento não se deve apenas à natural (ou inatural) alienação estrangeira quanto ao geograficamente fora de seus interesses, mas também é culpa nossa. Pois o que mais exportamos de nós é o exótico e o folclórico.

Em uma feira do livro de Frankfurt, no espaço brasileiro, o que se via eram livros (não muito bem arrumados), muita caipirinha na mesa, e televisões mostrando carnaval, futebol, praia e... mato.

E eu, mulher essencialmente urbana, escritora das geografias interiores de meus personagens neuróticos, me senti tão deslocada quanto um macaco em uma loja de cristais.

Mesmo que tentasse explicar, ninguém acreditaria que eu era tão brasileira quanto qualquer negra de origem africana vendendo acarajé nas ruas de Salvador. Porque o Brasil é tudo isso.

E nem a cor de meu cabelo e olhos, nem meu sobrenome, nem os livros que li na infância, nem o idioma que falei naquele tempo além do português, me fazem menos nascida e vivida nesta terra de tão surpreendentes misturas: imensa, desaproveitada, instigante e (por que ter medo da palavra?) maravilhosa.

13 | *Um tema tão delicado*

O assunto é difícil, eu sei.

É um terreno escorregadio onde a gente pode quebrar a cara. Tem mil pontas que picam, e arestas que cortam. Tem meandros onde a gente se confunde, e labirintos onde a gente se perde. É objeto de estudos de teólogos importantes, e diante deles, quem sou eu.

Mesmo assim, porque afinal sou gente, hoje me deu vontade de falar nele. É o preconceito burro ou cruel com que instituições podem esmagar a nossa pobre humanidade. Leio tantas vezes, que sou obrigada a acreditar: oficialmente a Igreja Católica ainda considera homossexualidade uma doença, usar camisinha pecado, e evitar filho — a não ser com aquele falibilíssimo método "natural" —, pecado também.

Mais: não adiantaria usar camisinha nem para se proteger da Aids, porque afinal "camisinha fura"...

Alguns teóricos famosos ou compassivos padres de paróquia tentam escapar com argumentos variados. Todos ao fim e ao cabo caem nas malhas da grande Mãe condenatória: amou fora do casamento, amou alguém do mesmo sexo, usou de algum artifício para não ter um filho por ano, ou para se proteger de uma doença que pode ser mortal — vai pra fogueira, ainda que metafórica.

Lembro da última vez em que, praticando a religião por alguns anos depois de uma conversão aos dezenove — que me fez muito bem aliás, porque entre outros devorei a obra de Teresa de Ávila, Tomás de Aquino, Agostinho, João da Cruz —, fiz minha derradeira chamada confissão.

Entre os pecados de sempre, impaciência, arrogância, alguma mentira e não lembro quais defeitos da minha atroz personalidade, veio o tema: eu tomava pílula. Tinha três filhos pequenos, perdera mais dois, também desejados, em meia gestação. Aqueles três eram o que podíamos sustentar direito, com boa escola e os requisitos medianos de uma boa vida mediana.

O padre, um velho suíço, que já não exigia aquele ajoelhar-se no confessionário mas uma conversa de seres humanos frente a frente, me olhou com seus olhos inteligentes, suspirou, e disse:

— Mas a pílula lhe faz mal ou bem?

— Faz bem porque sou muito desregulada, e evita cólicas, as minhas são graves.

Os dois sabíamos aonde ia levar aquela conversa, mas, ele resignado e eu irritada por estar ali e com a inutilidade de tudo aquilo para a minha vida, continuamos.

— Então a senhora toma a pílula como remédio.

— Não, padre, eu tomo expressamente para evitar filho.

— Mas se também lhe faz bem para a saúde...

Tive gesto de indelicadeza do qual ainda me arrependo, tantos anos depois:

— Padre, o senhor me desculpe. O que estamos fazendo aqui é sofismar. E afinal, vamos conseguir enganar a Deus com essa argumentação?

Ele me olhava, gentil com minha clara falta de educação. Levantei-me, ímpeto do qual me penitencio também, e me despedi:

— Padre, vamos deixar a coisa como está, porque estou me sentindo desconfortável, e o senhor certamente muito mais que eu. Obrigada pela paciência, pela escuta, pela tentativa.

Foi a minha última genuflexão.

Vendo crianças abandonadas na rua, mães emaciadas tendo seu sétimo filho sem poder dar de comer nem a um ou dois, lendo ou refletindo sobre vários tipos de violência gerados pela miséria ou o preconceito, ainda sinto a mesma inconformidade.

A vida há de nos cobrar duramente por considerarmos pecado o amor que não se enquadra em nossa visão mesquinha; por querermos medir comportamentos segundo nossos padrões poucos generosos; por querermos prender, humilhar, podar todo o relacionamento que não se adapta à medida da nossa ignorância e dos nossos farisaicos valores.

Porque o amor, do jeito que pode ser, é o caminho da liberdade e da grandeza — é a nossa única possibilidade de salvação.

14 | *Ponto-e-vírgula*

Estaciono meu carro na frente do rio num fim de tarde para que o pôr-de-sol me recomponha do cansaço de vários dias de trabalho intenso. Sem saber por quê, vendo o jogo de luzes recordo um quadro que tenho em minha casa e sobre o qual já escrevi: uma pintura ingênua, um jardim com duas árvores floridas, no meio um banco onde se senta uma jovem mulher com uma boneca ou criança. Do lado direito da moça vê-se na grama um gato preto, o branco está no capim do lado esquerdo.

Quem me deu o quadro comentou que Freud iria adorar essa pintura, na qual a moça poderia representar a psique adulta, boneca sendo a infância que sobrevive em nosso inconsciente. De cada lado, o que somos de positivo ou negativo: o gato branco, a força da vida que chama para a felicidade; o gato preto, a pulsão da morte que nos maltrata com o medo e a culpabilidade.

Como os símbolos desse quadro, temos nossos lados negativos que nos prendem no medo e na acomodação, mas também desejamos a claridade e o crescimento pessoal. Somos as escolhas que fazemos e as que omitimos, a audácia que tivemos e os fantasmas aos quais sacrificamos a possível alegria e até pessoas a quem amamos; a vida que abraçamos e a que desperdiçamos. Em suma, fazemos a escritura da nossa complicada história.

Vai chegar o dia em que, olhando para trás, vamos ler isso que escrevemos com sangue e realidade. Não seremos perdoados pelo desperdício.

Eu, por profissão cavo palavras nas minas do silêncio: não para apaziguar, mas provocar; não para responder, mas porque não cesso de indagar. Embrulho em fases todas as minhas dúvidas (enganosamente, há quem me julgue tranqüila e resolvida).

Amarro com fitas de vírgulas e pontos os meus pacotes de perplexidade, e vou soltando em livros para quem quiser ler. Exclamações, não aprecio; reticências me parecem débeis e hesitantes, e talvez eu abuse da interrogação; ponto-e-vírgula é ótimo para insinuar.

Não importam os significados: qualquer interpretação será insuficiente. Como na vida, vale o desafio: que no breve espaço do nosso tempo a gente consiga quebrar as algemas do preconceito, recusar as indevidas cobranças, entender que a culpa é o selo da morte. E abrir-se para a vida: que nem sempre é mesquinha; e que nem sempre nos trai.

Mas isso foram reflexões ineficientes de uma hora cansada, diante de um rio enigmático, que não me deu nenhuma resposta.

15 | *Nós, os diferentes*

O tema do exotismo, que os estrangeiros tanto requisitam do Brasil e dos brasileiros, me remete a outro preconceito parecido, num momento em que virou moda (ou mania) tentar definir quem é o quê e como: gaúchos, nordestinos, mineiros?

Em qualquer lugar do Brasil acima do Paraná, é freqüente o tedioso comentário, pronunciado com um misto de lisonja ou ironia: "Vocês lá do Rio Grande do Sul nem são brasileiros, são europeus!"

Não acho nem simpático, nem inteligente, nem elogioso. Não quero ser deixada de fora.

Mexe com brios que tenho desde criança, quando, numa cidadezinha então povoada sobretudo por descendentes de imigrantes alemães, se falava em um "nós" (os de sobrenome Schmidt, Schneider) e um "eles, os brasileiros" (de sobrenome Silva, Rocha).

Por conta dessa loucura proibiam-se namoros, liquidavam-se amizades, vidas eram podadas, eventualmente grassavam suspeitas de parte a parte. Aos oito anos, anunciei em casa: "Se eu nasci no Brasil, se até minhas avós nasceram aqui, sou tão brasileira quanto minha amiguinha Rosa Fernandes, ou nossa cozinheira negra Julieta, e acabou-se."

Lembro que foi em um almoço de família, e que os adultos me olharam — não pela primeira nem última vez —, como sempre que aquela menininha de idéias esquisitas questionava alguma coisa estabelecida sem explicação nem fundamento. Para eles era assim, "e acabou-se".

Mas para mim nada era assim "e acabou-se". Se eu não o pudesse entender, ou ao menos sentir firmeza na misteriosa explicação de algum adulto, não cumpria e acabou-se.

Muito castigo levei por isso.

Hoje, quando escuto comentários (exóticos) sobre quem é ou não brasileiro, minha resposta é a minha certeza — ou pelo menos a minha particular verdade, que aqui repito: sou tão brasileira quanto qualquer negra que vende acarajé nas ruas de Salvador.

Diferenças? Bom, a cor da pele e dos olhos; o sobrenome; talvez — não mais necessariamente — diferenças econômicas; e o fato de que os antepassados dela vieram de navio, acorrentados, para trabalhar aqui, e os meus vieram de navio — quem sabe na mesma época — não acorrentados mas quase, em condições dificílimas, também para trabalhar aqui.

Em situação não tão extrema, nem privados da liberdade, largados numa região ainda selvagem, muitas vezes ludibriados e maltratados, enfrentando isolamento, doenças, idioma e costumes estranhos.

Os únicos brasileiros de verdade, afinal, seriam os índios (frase também gasta) — de quem conseguimos arrancar quase todos os direitos. De modo que pretender me elogiar, ironizar — ou discriminar — como sendo mais "européia" do que brasileira, me faz lembrar o crítico que, há muitos anos, pensou me agradar afirmando em um artigo: "Ela é mulher, mas escreve com mão de homem."

Ou recorda os primeiros tempos da adolescência, quando percebi que minha genética, e possivelmente a confessada fraqueza da minha vontade, me faziam ser grandona quando as outras eram esguias. Tímida quando todo mundo me parecia tão ousado. Demais recolhida em meu mundo de livros e fantasias, quando, para inveja minha, as outras se divertiam com coisas das quais eu por vezes ficava — ou me sentia — excluída.

Então, pelo sobrenome, pela origem, pela cor, pelo tipo físico ou jeito de ser, qualquer um acaba vivendo algum exílio injusto e particular.

Resta o consolo de saber que o preconceito também é uma — quase sempre incurável — doença da alma.

16 | *A visita do anjo*

O homem estava pegando as chaves do carro (a mulher já tinha saído para levar as crianças à escola) quando tocaram a campainha.

Irritado, pois já se atrasara bastante, ele abre a porta:

— Sim?

O ser andrógino, belo e feio, alto e baixo, negro e louro, faz um sinalzinho dobrando o indicador:

— Vim buscar você.

Não era preciso explicar, o homem entendeu na hora: o *Anjo da Morte* estava ali, e não havia como escapar. Mas, acostumado a negociações, mesmo perturbado ele rapidamente pensou que era cedo, cedo demais, e tentou argumentar:

— Mas, como, o quê? Agora, assim, sem aviso sem nada? Nem um prazo decente?

O Anjo sorri um sorriso bondoso e perverso, suspira e diz:

— Mas ninguém tem a originalidade de me receber com simpatia neste mundo, ninguém nunca está preparado? Está certo que você só tem quarenta anos, mas mesmo os de oitenta...

O homem agarrou mais firme a chave do carro que acabara encontrando no bolso do paletó, e insistiu:

— Vem cá, me dá uma chance.

O Anjo teve pena, aquele grandalhão estava realmente apavorado. Ah, os humanos... Então teve um acesso de bondade e concedeu:

— Tudo bem. Eu te dou uma chance, se você me der três boas razões para não vir comigo desta vez.

(Passava um brilho malicioso nos olhos azuis e negros daquele Anjo?)

O homem aprumou-se, claro, ele sabia que ia dar certo, sempre fora bom negociador. Mas, quando abria a boca para começar sua ladainha de razões — muito mais que três, ah sim —, o Anjo ergueu um dedo imperioso:

— Espera aí. Três boas razões, mas... não vale dizer que seus negócios precisam ser organizados, sua mulher nem sabe assinar cheque, seus filhos nada conhecem da realidade. O que interessa é você, você mesmo. Por que valeria a pena ainda te deixar aqui por algum tempo?

Já narrei essa fábula em outro livro, e nele quem abria a porta era uma mulher. A objeção que o Anjo lhe fazia antes de ela começar a recitar seus motivos era:

— Não vale dizer que é porque marido e filhos precisam de você...

Muitas vezes contei essa historinha, e inevitavelmente homens e mulheres ficam surpresos e pensativos, sem resposta imediata ainda que de brincadeira.

E nós? Com que argumentos persuadiríamos o anjo visitante de ainda não nos levar?

Eles seriam falsos, inventados na hora, ou brotariam da nossa eventual contemplação — e reavaliação — da vida, e do sentido de tudo, de nossos projetos e esperanças?

Isto é, se acaso alguma vez interrompemos nossa agitação para um questionamento desses. Pois em geral nos atordoamos na agitação da mídia, da moda, do consumo, da corrida pelo melhor salário, melhor lugar, melhor mesa no restaurante, melhor modo de enganar o outro e subir.

Ainda que infimamente em nosso ínfimo posto.

17 | *Infância*

Tentei remontar a minha num quebra-cabeça que devia formar um retrato — o meu retrato? Ao escrever *Mar de dentro* (2002), revivi a menina protegida que fui, amada mas um pouco estranhada em sua família ("essa criança está sempre no mundo da lua...").

Certamente faltaram peças. Mas, falhada e fragmentária, aquela era eu, e me reconheci assim na minha incompletude.

Diante deste computador, nesta altura e deste ângulo, lembrei que um dia (qual dia?) compreendi que não eram as palavras que produziam o mundo, pois esse nem ao menos cabia dentro delas.

Antes de aprender a ler, quando me contavam histórias — em minha casa contavam-se muitas —, achei que criar e escrevê-las haveria de ser o melhor dos brinquedos. Era esse o jogo que eu queria jogar quando fosse adulta. Aprenderia a inventar gente (seriam todos minúsculos, eu é que mandaria neles, pois quando criança sempre achei que se mandava demais em mim) e brincar com palavras — sua música vibrando em meu pensamento ou pronunciadas em voz alta quando achava que ninguém podia ouvir.

— Está de novo falando sozinha, filha?

— Não, mãe, eu estava só cantando.

Escrevendo descobri que a gente teve várias infâncias: a que os outros viam; a que eles imaginavam que a gente estava vivendo; a que a gente mesma pensava ter; e a real, que é sempre o mais indefinido. De longe, depois de tantos anos, observei a criança que fui, a que os outros viam e pensavam conhecer, e as tantas que se desdobravam dentro de mim além de algumas que ainda não decifrei.

Elaborando aquele livro também fiquei mais próxima da menininha que agora mesmo brinca no tapete ao meu lado enquanto escrevo. Na sua dimensão de magia ela fala com bonecos, constrói castelos, ou se perde na contemplação do que ninguém mais enxerga — porém real como esta casa e este computador.

Às vezes faz perguntas como:

— Fada existe?

— Para quem acredita, ela existe.

— E bruxa, existe?

— Existe se a gente acredita.

— Ah...

Há pouco veio me falar, com olhos radiantes, de um passarinho que tinha entrado na sala. Depois de algum tempo voltou, dizendo que estava morto.

— Morreu — ela diz com os olhos inocentes de quem ainda não sabe o que é perda e separação. — E a gente plantou ele na terra!

Me olha, cheia de expectativa. Digo "que lindo!" e por um momento sou essa criança também.

Depois, lado a lado, nos entregamos cada uma à sua ocupação: bonecas ou computador, pode parecer muita diferença. Não é. Cúmplices silenciosas, não temos dúvida: no jardim vai nascer uma árvore de passarinhos.

E quando soprar um vento forte, vão-se espalhar sobre os telhados, as árvores e as nuvens, e as cabeças dos incrédulos, que nem vão se interessar em saber de onde veio aquela revoada miraculosa.

18 | *O rio das perdas*

A equipe de psicólogos de um grande hospital me pediu uma palestra sobre perdas.

Perda de quê? Dinheiro, saúde, emprego, amor, juventude, beleza... perda da alienação quando se aproxima a morte, nossa ou de alguém próximo, desconstruindo tudo o que parecia sólido em nós?

Qualquer perda. Pois, no trabalho deles, lidavam com isso o dia todo.

O que podia eu dizer a esses competentes profissionais diariamente enfrentando os dramas que afluem para um hospital, aquele rio de perdas que se enfia por todo canto, atrás de cada porta ou biombo atingindo alguém com todo o direito de chorar?

Então procurei ser simples: falar das naturais dificuldades em lidar com qualquer perda — também fora do contexto hospital, saúde, vida e morte.

Primeiro, não queremos perder.

É lógico não querer perder. Aliás, nem deveríamos ter de perder nada: saúde, pessoas, posição, dignidade ou confiança. Mas uma constante alternância de ganhos e perdas forma em parte a nossa humanidade ameaçada. Nós somos também isso.

Segundo, perder dói mesmo.

Não há como não sofrer. É tolice dizer "não sofra, não chore". Também o luto e a dor são importantes — desde que não nos paralisem demasiado por demasiado tempo.

Terceiro, precisamos de recursos internos para enfrentar a dor.

O apoio dos outros é relativo e passageiro. A força decisiva terá de vir do nosso interior, onde se depositou a bagagem de nossa vida. Lidar com a perda vai depender do que encontraremos ali: se nesse lugar crescem árvores sólidas, teremos onde nos agarrar. Se houver apenas plantinhas rasteiras, estaremos mal. Por isso, aliás, a tragédia faz emergir forças insuspeitadas em algumas pessoas, e para outras aparece como uma injustiça pessoal ou uma traição da vida.

Uma doença grave, um insulto à dignidade ou o esvaziamento da nossa confiança nos deixam encurralados. Não vemos mais sentido em nada, e isso será mais difícil se até ali corremos desnorteados no tempo em que, sem refletir nem apreciar, ainda possuíamos isso que agora perdemos.

Não acho que seja preciso alta filosofia e devoção ardente, nem acredito em muita teorização sobre o sentido da existência.

Mas creio numa expressão meio fora de moda, que no meu caso não tem conotação religiosa: vida interior. Que é o espaço da ética, dos afetos, da humildade e da coragem, da visão de nossa transcendência. Somos parte de um misterioso ciclo vital que é o da própria natureza, e nos confere sentido. Dentro dele, mesmo sendo insignificantes, temos grandeza. Mesmo sendo bem jovens, podemos ser maduros.

Por tudo isso, que não compreendemos mas podemos sentir, a vida vale a pena — também quando o mundo parece desabar sobre nós ou arrancar de nossas mãos aquela última pequena e pálida esperança.

19 | *Eu sou meus personagens*

Escritores deveriam escrever, não falar.

Mas talvez por ser uma espécie de moda, somos a toda hora chamados a depor sobre nosso trabalho. Entrevistas: o que pensa, como faz, por que faz. Ou por que não faz. Ah, e desde quando?

Há temas que se repetem, perguntas que se perpetuam; inquietações coincidem entre o escritor e seus leitores, entre quem dá algum depoimento e quem assiste. "Por que você escreve?" é uma das indagações universais.

Se entrevistarem dez escritores, haverá dez depoimentos diferentes. Cada um vive e trabalha do jeito que é: mais cerebral ou mais emotivo, mais racional ou mais intuitivo, mais ligado a temas históricos e sociais, ou escavando obsessivamente a paisagem interior. Nessas entrevistas sempre me interessou mais o que o jornalista tinha a questionar. Muita reflexão levei desses encontros, muitas novas indagações.

Um escritor respondeu que se parasse de escrever morreria, portanto escrevia para não morrer; uma mulher dizia que escrevia para não enlouquecer, outra revela que o faz para ser amada.

Sou dos que escrevem como quem assobia no escuro: falando do que me inquieta desde criança, dialogando com o fascinante (eventualmente assustador) que espreita sobre meu ombro nas atividades mais triviais. Escrever é escutar as águas interiores e espreitar vultos no fundo — ou são minha imagem refletida na superfície?

Tudo isso é jogo — contraponto da vida concreta, onde, ao contrário do que alguns pensam, gosto mais do sol do que da sombra. Mas a sombra me interessa mais.

Outra pergunta quase constante: qual a sua relação com seus personagens? (Leitor e jornalista de olho para ver se num escorregão o autor revela tragédias da infância ou pessimismos mortais.)

É verdade que minha literatura não anda por águas tranqüilas: fala de minhas perplexidades enquanto ser humano. Embora alguns de meus livros recentes sejam mais próximos de uma conversa ao pé do ouvido do leitor — meu amigo imaginário —, que hoje tanto me agrada, quase sempre escrevo sobre o que não sei, e por ser obscuro me leva a escrever.

Criar personagens trágicos não significa que o autor seja pessimista: muitos humoristas são calados e deprimidos. Na vida real sou muito mais simples e engraçada do que diria quem apenas me conhece de livro. Raramente a trajetória de meus personagens tem a ver com a minha.

Mas sou mãe desses que dormem dentro de mim como filhos possíveis.

Tenho um olho otimista que vive (e convive) e se volta para a beleza, a alegria, a decência e a compaixão. Mas meu olho pensativo, o outro, namora a sombra, espia em frestas, parteja suas ficções. Eu simplesmente escrevo tais coisas porque é isso que — bem ou mal — eu sei fazer.

E me salva, como me salvam a chuva nas folhas diante da minha janela, o vento quando caminho ao sol, o olhar de quem me ama, a mão do amigo, e de certo modo todo esse pungente impulso da vida que pede para ser decifrada, e se recolhe na mesma medida em que a perseguimos.

20 | *Nem tanto assim*

Neste começo de milênio, somos tão diferentes das mulheres antigas?

O que mudou em nós? Tudo será agora tão positivo como nos dizem, e foi outrora tão ruim como parece?

Afinal, na Idade Média havia tecelãs inscritas em sindicatos; em todas as épocas, mulheres cultas escreviam, debatiam, influenciavam seu meio. Embora sempre em quantidade bem menor do que os homens, não eram exceções tão raras quanto nos parece.

Onde foi parar a história dessas que administravam propriedades e bens quando os maridos iam à guerra, transmitiam a tradição oral da sua gente, eram depositárias de lendas, praticavam medicina (muitas vezes sendo consideradas bruxas), parindo e educando os futuros guerreiros e mandantes do seu povo?

Rainhas ou mulheres de senhores feudais participaram de campanhas bélicas ao lado dos maridos, ou lutavam em seu lugar quando eles precisavam combater em outra parte; séculos atrás, na Europa, mulheres não se dedicavam apenas às intrigas da Corte, mas algumas davam cursos públicos de retórica, falavam latim, conheciam teologia e filosofia. As poucas hoje comentadas só aparecem como esposas de seus maridos famosos. (Joana d'Arc teve o nome perpetuado por si mesma: foi preciso que morresse queimada numa fogueira inquisitorial.)

Houve toda uma camada de existência organizada, administrada, transmitida pelas mulheres: hoje inicia-se essa escavação, essa arqueologia, reconstituindo o fio que nos foi cortado.

Quais as complexas razões de essas vidas permanecerem na sombra? Foi apenas porque "os livros de história são escritos por homens", portanto não abrem lugar para nada de importante realizado por mulheres? Acho simplória essa explicação. Eles seriam tão poltrões que não cederiam à mulher o seu devido lugar nos fatos do mundo?

Premida por desejos e necessidades, pondo-se em busca de trabalho e realização além daquela doméstica que aparentemente lhe cabia por destinação, a mulher afinal percebeu que era mão-de-obra desqualificada. Saiu a campo para preparar-se, quando sua situação anterior se cristalizara há um bom tempo. Nem passaria pela cabeça do até então amo e senhor que a mãe de seus filhos pensasse em pegar um emprego, e também a ela isso provavelmente não ocorreria com freqüência.

Mulher não "trabalhava fora" a não ser que fosse muito pobre, ou tivesse um marido incompetente para a sustentar. "Mulher minha não trabalha" era dito com satisfação e certa arrogância. Hoje, em grupos de jovens mulheres, olha-se com certa piedade a que "só" fica em casa.

Isso pode levar a uma inversão exagerada.

Ficar "só" em casa será mesmo tão pouco assim? Ser "apenas" mãe desses filhos, administradora dessas contas e projetos pode não satisfazer plenamente quem sente em si potencial para muito mais que isso.

Mas será uma função inferior?

Que compensações pode trazer em cada família, em cada caso individual?

As questões humanas são complexas começando por isso: dificilmente se podem estabelecer com justiça e justeza regras gerais, quando se trata de costumes, sentimentos, tradições, legados familiares emocionais e conceituais, tipos de relacionamento.

Estamos botando de pernas para o ar nossos conceitos: às vezes é preciso plantar bananeiras mentais para entender o que se passa, e descobrir o que deveríamos fazer. Na maior parte das vezes, temos de nos contentar com o que podemos realizar ou pensar.

Questionar é um bom começo.

Para que a resignação ou o ressentimento, acompanhados pela ignorância, não nos paralisem com seu hálito funesto.

21 | *Aquelas ilusões*

Achar que os pais eram todos perfeitos: eles fortes e infalíveis, as mães incondicionalmente amorosas. Mas meu pai chorou quando sua mãe morreu, e certa vez me botou de castigo sem que eu tivesse culpa. Fiquei inquieta: se ele podia ser fraco ou errar, quem iria para sempre cuidar de mim?

Escutei, mais de uma vez, minha mãe se queixar: "Essa menina me leva à loucura... por que não é parecida com o irmão, tão bonzinho?" (ela devia ter dito algo parecido com "ela é um saco", só que naquele tempo a expressão não se usava).

Fiquei perturbada imaginando que ela jamais gostaria de mim tanto quanto visivelmente gostava dele.

•

Pensar que os adultos sabiam de tudo: eu tinha uma inveja mortal deles. Mas diziam coisas como: "criança não pensa", ou "quem ama Deus faz sofrer", e percebi que eles também eram meio burros. Além disso, achei que eram melhores do que as crianças, mas às vezes queriam que eu mentisse: "Não conta pra sua mãe que quebrei esse copo ou ela fica zangada comigo"; "não fala pra vovó que a mamãe visitou aquela titia, senão a vovó fica aborrecida".

•

Sonhar que as princesas dos contos de fadas eram lindas, e seus namorados uns guerreiros fantásticos, todos morando em castelos encantados.

Depois li em algum livro (não de fadas) que as jovens medievais cedo ficavam desdentadas, os guerreiros morriam ainda adolescentes de doença ou na guerra, que não se tomava banho, e as donzelas faziam xixi de pé, apenas arrepanhando um pouco as saias.

•

Achar que era verdadeira a inscrição da caixinha de lápis: "Querer é poder." Eu queria acordar morena, magra e linda como uma colega de classe que nem ao menos era muito inteligente... mas continuei sendo apenas a que podia ser.

Também queria milagrosamente receber o boletim melhor da turma, e cheguei a um 28° lugar, que falsifiquei transformando num patético 23°, como se assim minha honra estivesse salva.

•

Imaginar que os gnomos arrumavam durante a noite meus sapatos — que eu deixava tortos ao lado da cama —, e o anjo da guarda de carinha suspeitamente feminina sempre ia cuidar de mim.

Mas os gnomos não apareciam quando havia mais alguém presente, de modo que nunca pude provar que existiam. E meus sapatos, era minha mãe que ajeitava quando eu pegava no sono. Pois de outro modo, ela dizia, eu teria pesadelos: correr e não sair do lugar, e ser alcançada fácil pelo monstro que me perseguia.

(Como eu era sempre devedora, estava certa de que o monstro me devoraria logo-logo se não fossem aqueles sapatos comportadamente alinhados.)

•

Achar que bastava rezar, e Deus, o das barbas brancas e carranca furiosa dos bicos-de-pena da Bíblia para Crianças, do alto das nuvens me faria ser o modelo de menina que minha mãe e avós tanto queriam.

Depois de algum tempo cansei de rezar. Olhava pra cima, pensando: Ô, Deus, me ajuda um pouco, tá? Afinal eu bem que me esforço, mas sabe como é...

•

Acreditar que bebê era trazido pela cegonha, e um dia alguém na escola falar qualquer coisa de pai e mãe... havia um complicador de caninho de borracha, que aliás nunca entendi. Seja como for, depois do choque fiquei um pouco aliviada: os meus pais, pelo menos, só tinham feito aquele horror duas vezes.

Ah, três vezes: um irmãozinho tinha morrido antes de eu nascer.

•

Sonhar que quando adulta eu seria segura de mim, nunca mais carente, dona do meu nariz, linda, rica e poderosa. Deitada num sofá, comendo chocolates (e sendo magra), com dúzias de servas pra me atender.

Nunca imaginei que haveria (além das tantas coisas boas) essa história de trabalho, horários, compromissos, conta de banco, doença, fracassos, frustrações, o escambau.

•

Mas, se tudo hoje fosse como parecia nas minhas ilusões de menina, eu provavelmente passaria boa parte do meu tempo olhando pela janela, não para ver as árvores ou as nuvens, mas bocejando na prisão da excessiva coerência.

22 | *Tambores de guerra*

A pequenos intervalos rasteja sobre o mundo a sombra de uma guerra de dimensões maiores, explicitada nos meios de comunicação.

Uma guerra apenas "interessante" mal faz cócegas em nossa sensibilidade: estamos calejados pelas fotos e filmes de corpos dilacerados e poças de sangue.

Pequenas guerras mais ou menos ignoradas estão acontecendo sempre em países, cidades ou casas, aqui e ali. Sem falar desta em nosso próprio país — a guerra do narcotráfico —, alimentada cada vez que alguém acende um inocente cigarro de maconha ou dá uma cheirada de coca numa festinha qualquer. E sua irmã, a perversa guerrilha urbana que é a violência do trânsito e da bandidagem impune.

Mas desta vez é a guerra alardeada, propagandeada, a grande morte mil vezes anunciada.Violência em *close-up* com todos os recursos à mão para melhor matar e assistir à matança nos quatro cantos da Terra.

Insisto em que o ser humano não é original. Recoberto de algum requinte, continua feroz. Contemplando a violência dos tempos atuais, penso nos tempos antigos. A Idade Média. As Cruzadas. A Santa Inquisição.

Quando visitei pela primeira vez a catedral de Colônia, inimaginavelmente grande, a primeira coisa que me ocorreu foi como teria sido quando de sua construção. Aquele monstro alteando-se do nada, em torno centenas de choupanas miseráveis onde miseráveis seres humanos morriam na imundície e na lama, construtores ínfimos daquela maravilha máxima. Entrei na catedral com certo enjôo. Pois o humano ainda me comove mais do que a arte.

Agora a guerra é mais suja, dizem alguns, pois se mata de longe, apertando botões ou lançando veneno. Antes se rasgava o ventre do outro ou se decepava sua cabeça, depois se corria, mãos molhadas de sangue, a estuprar mulheres e crianças na aldeia próxima.

O que seria mais sujo ou mais higiênico, eu não saberia distinguir.

Os gritos dos torturados pela Santa Inquisição continuam ecoando pelas prisões e praças onde eles sofreram e morreram por razões abjetas como manipulação do pensamento e exercício desvairado do poder.

Mas o mundo não é só isso. O mesmo animal predador, que mata por lucro e poder, também produz arte, ama, sabe refletir, ensinar, expressar idéias incríveis, acolher o amigo, segurar a mão do amado que morre.

Pode parecer tolo, mas eu acredito que, nos momentos de sombra, mais do que argumentar e gritar ou deprimir-se, a gente devia acender a pequena chama de algo positivo. Se cada um cultivar afeto, beleza e lealdade em seu ambiente, por pequeno que seja, isso há de espalhar claridade no mundo. E não haverá apenas sombra e horror.

Porque se a gente não acreditar nisso, melhor será correr para o campo de batalha (ou para uma de nossas ruas mesmo) e abrir o peito à primeira bala de quem quer que seja.

Bala perdida serve — e não é coisa assim tão rara.

23 | *Velhice, por que não?*

Recordo meu assombro quando me dei conta de que, no cinema, passavam-se na tela cenas tórridas de sexo, mas as palavras no letreiro, se mais "fortes", vinham apenas com a inicial seguida de pontinhos.

Os nomes de certas doenças ainda são evitados como se contagiassem. Alguns livros não queremos ler porque nos inquietam, como se a arte devesse apaziguar ou tapar o sol. Pode ser sábio não ver, não falar, não escutar, mas geralmente é alienação e pobreza.

Palavras significam emoções e conceitos, portanto também preconceitos. Por isso quero falar de minha implicância com a implicância que temos com os vocábulos — e a realidade — velho, velhice. Eles inspiram receio ou repulsa como nomes de doença.

Não me importa como a classifiquem as organizações de saúde, para mim a velhice começa bem depois dos setenta anos. E devíamos ter orgulho de pensar: Bom, aos oitenta anos conquistei minha velhice perdendo coisas, mas acumulando algumas, inclusive a minha idade. Não estou, aos oitenta anos, deteriorado em relação aos quarenta ou vinte: estou apenas mudado.

Por ignorância inventamos jeitos e eufemismos que, em lugar de remediar, acentuam o negativo que envolve os termos substituídos. "Terceira Idade", "Melhor Idade", pior ainda quando escrito junto: "melhoridade", com toda a boa intenção e até bons resultados, me causam desconforto.

Nossa visão da passagem do tempo é tão falseada que dizemos: "No meu tempo", nos referindo invariavelmente à juventude.

Somos tão despossuídos aos cinqüenta, sessenta, oitenta anos, que nem o presente nos pertence? Nosso é apenas o que ficou atrás? Conforme vamos avançando na idade perdemos todos os direitos, inclusive sobre o próprio tempo, como se estivéssemos acabados?

Pior quando em grupos de terceira idade fazemos velhas damas saltitarem num palco vestindo fantasias de criança: infantilizadas, acentuando mais uma vez o lado caricato que a velhice pode assumir se não tivermos elegância e delicadeza ao lidar com ela.

Ou — por comodismo ou insegurança — inventamos o que o velho ou velha pode e não pode fazer: Mamãe morando sozinha naquele casarão? Papai comprando esse monte de roupa nova? Viajar com essa idade? O quê? A essa altura da vida ainda vai querer namorar?

Por que uma velha dama não pode morar numa casa grande, a não ser por recomendação médica ou segurança? Por que um velho tem de usar sapato cambaio e calça larga? Por que não podem procurar e curtir uma nova companhia? Solidão não é dever de ninguém, muito menos de um velho.

Somos contraditórios (por isso também interessantes): na

época em que mais tempo vivemos, parece haver mais dificuldade em relação ao que se convencionou chamar velhice.

Para a maioria, ela traz a marca da incapacidade, do feio e da deterioração. É algo a ser evitado como uma doença, um defeito. Não deixa de ser fútil, encarar a vida como um conjunto de gavetas compartimentadas nas quais somos jovens, maduros ou velhos — porém só em uma delas, a da juventude, com direito a alegrias e realizações. A possibilidade de ter qualidade de vida, saúde, projetos e ternura até os noventa anos é real, desde que levando em conta as limitações de cada período.

Este livro é dedicado a uma grande amiga, Mafalda Verissimo, que até sua morte, aos noventa anos, foi uma pessoa atuante e agregadora. A gente não a visitava por ser uma velha dama solitária, mas porque nós é que precisávamos da sua alegria, do seu estímulo. Portanto a velhice pode ser agregadora e bem-humorada, interessante porque interessada. A passagem do tempo não precisa deteriorar, mas pode expandir e refinar.

Quando não pudermos mais realizar negócios, viajar a países distantes, talvez nem mesmo dar caminhadas, poderemos ainda exercer afetos, reunir pessoas, ler bons livros, observar a humanidade que nos cerca, eventualmente lhe dar abrigo e colo.

Para isso não é necessário ser jovem, belo (significando carnes firmes e pele de seda...) ou ágil, mas ainda lúcido. Ter adquirido uma relativa sabedoria e um sensato otimismo — coisas que podem melhorar com o correr dos anos.

Porém tendemos a considerar a velhice uma condenação da qual se deve fugir a qualquer custo — até mesmo nos mutilando ou escondendo. No espírito de manada que nos caracteriza, adotamos essa postura, que nos paralisa e faz sofrer inutilmente. Isso se manifesta até na pressa com que acrescentamos, como desculpa: "Ah, sim, você está, eu estou, velho aos 80 anos, mas... jovem de espírito!"

Por que ser jovem de espírito seria melhor do que ter um espírito maduro... ou velho?

Será pior ter mais equilíbrio, mais serenidade, mais elegância e até bom humor diante de fatos que na juventude nos fariam arrancar os cabelos de aflição?

Visitei uma artista plástica de quase noventa anos, que pinta telas de uns vermelhos palpitantes. E eu lhe disse:

— Seus quadros celebram a vida.

Ela respondeu junto do meu ouvido, brilho nos olhos:

— Eu os crio para mim mesma, para meu prazer.

Seu rosto enrugado e seu corpo já encurvado emanavam uma alegria de viver que me causou inveja. Por um instante desejei ter chegado ao mesmo patamar — onde muitas coisas pelas quais hoje luto e sofro fossem uma celebração, recobertas de uma beleza menos ilusória.

Esse encontro mostrou a importância de conquistar o tempo tornando-o nosso bichinho de estimação, em lugar de sermos devorados por ele. E descobrir o tom segundo o qual queremos viver cada fase — também a maturidade e a velhice. Juventude em *allegro*, maturidade em adágio e velhice em tom de marcha fúnebre — terá de ser necessariamente assim?

Talvez o concerto da nossa vida exija uma mistura ou encadeamento de tudo isso, em cada fase. Apesar dos descompassos, vai-se instaurar a harmonia possível, e sempre é mais possível do que, na nossa torta visão da passagem do tempo, nós nos permitimos.

24 | *O tassivelo*

Entra ano, sai ano, em alguns encontros de família maiores de repente todo mundo explode em risada, "putz, como é que você lembrou dessa, hein?"

São as histórias de quando eles eram projetos de gente, e os meninos corriam na beira do telhado enquanto a gente no quarto fazia dormir o bebê e nem imaginava o perigo logo ali em cima. Ou quando eram adolescentes e a gente não adormecia direito enquanto não soubesse que todos estavam em casa. Ou de quando se casaram e pela primeira vez os vimos como realmente eram agora: adultos como nós quando nos casamos, tivemos filhos, batalhamos, ganhamos, perdemos... que coisa.

No tempo em que ainda não era um agrônomo barbudo mas um menino de bochechas rosadas e olhos de um prodigioso azul, um de meus filhos homens fez e desfez, montou e remontou a palavra que significava um seu amado companheiro. Aquele, de quase-bebê, que levava por toda a parte, o objeto de estimação.

Não adiantou pai e mãe — mesmo sabendo que era bobagem o que estavam fazendo — pronunciarem a palavra "correta" diante dele várias vezes.

O correto dele era outro.

Tudo começou com o pedido:

— Mãe, onde tá o meu sivola?

Vários minutos pra descobrir o que era. Cebola? Cavalo? Ceroula nem existia naquela casa. Finalmente ele mesmo encontrou, veio abraçado ao seu tesouro:

— Ó, mãe, pra nanar.

— Ah, isso aí é o seu travesseiro, filhinho, tra-ve-ssei-ro.

Nos olhos de azul-porcelana imperava uma obstinação tranqüila:

— Sivola.

Semana depois a coisa começou a se desenroscar:

— Mãe, me dá o meu sivelo.

Estava melhor, mas ainda... A gente sabia que era bobagem naquela hora discutir ou ensinar. Palavras têm sua vida própria, se desenvolvem como plantas estranhas, principalmente em criança. Mesmo assim, alguém tentava:

— Filhinho, olha pra mamãe.

Dois holofotes azuis como só menino de 3 anos. Aquela placidez.

— Fala junto com a mamãe: tra-ve-ssei-ro.

Ele pronunciou caprichando as sílabas, na mesma entonação paciente da mãe:

— Si-vo-la.

— Será que esse menino está brincando comigo? Mas com só três anos?

Os lagos suíços refletiam a impotência materna, que nem mestrado de Lingüística, nem manuais de português, nem o marido gramático, nem leituras sobre psicologia infantil naquele momento diminuíam. Nada: aquilo ali, na cabeça da criança, é que era o real.

Mais uns dias, e o objeto mágico tinha virado "tassivola". Depois, "tassivelo". "Tassevelo", "tavesselo", e por fim a mãe escutou extasiada:

— Tavessero!

O menino era um gênio. O pai depressa escreveu um artigo na coluna de português que publicava diariamente, e a história — como tantas outras — entrou para os anais da família.

O das histórias publicáveis, naturalmente.

25 | *Não somos santas*

No começo diziam que eu escrevia mais para mulheres (o que é bobagem), e que minhas personagens femininas são mais fortes do que os homens (idem). Rótulos são imprecisos e empobrecedores, mas o que se há de fazer.

Depois de *O rio do meio*, de 1976, passaram a dizer que eu defendia demais os homens. Devo ter do masculino uma visão mais positiva do que, parece, boa parte das mulheres. Tive um pai amigo que desde criança me ensinou a cuidar da minha dignidade, e dois companheiros que me respeitaram como ser humano, empurrando-me para a frente e para cima.

No *Rio*, escrevi entre outras coisas que também os homens sofrem de solidão — na medida da solidão (ou da infantilidade) de suas mulheres —, que também querem ser amados, ouvidos, olhados, não só criticados e cobrados. Em palestras afirmo (para horror de muitas) que nós mulheres também sabemos ser *muito chatas*. Insatisfeitas, cobradoras, ásperas ou lamuriosas, frívolas e agitadas, chantagistas: nem sempre companheiras, poucas vezes cúmplices.

Está certo que andamos sobrecarregadas nesses tempos modernos, vacilando entre competência e beleza, correndo entre filhos e patrão, cartão de crédito ou momentinho de ócio escutando aquela música ou vendo aquele vídeo no sofá da sala em plena tarde. Sem que ninguém nos chame com voz grossa e fatigada, ô, mãããe . Sem o fantasma de tias ou avós, mão na cintura na soleira da porta da nossa culpa ancestral, criticando: "Mas como! A essa hora, aí atirada sem fazer nada?"

Mas repito que sabemos ser chatas, implicantes, indiscretas e críticas. E deixamos sozinho o nosso homem, que bem ou mal é o que está do nosso lado. Pois se for ruim demais, por que ainda estamos com ele? Não são só as mulheres que precisam falar e ser ouvidas: na sua linguagem e no seu ritmo, que não são os nossos, se pudessem abrir o coração (o que raramente fazem) muitos homens se queixariam de que ninguém os escuta em casa. A mulher grudada nos filhos ou na televisão, no telefone com a amiga; os filhos na rua, ou fechados no quarto; e com os amigos do bar ou do escritório, os homens falam de futebol, mulher, carro... raramente de si mesmos e de sua humanidade.

De modo que, sim, eu acho que não somos santas nem temos obrigação de ser, mas bem que aqui e ali valeria a pena olhar dentro de si, e ao lado, onde está aquele com quem afinal partilhamos a vida. Temos escutado o que ele diz ou o que nos diz o seu silêncio? Temos ainda lembrado de agradar, elogiar, sorrir, fazer carinho, ou estamos demais ocupadas?

Ainda pensamos nele, nas suas necessidades, emoções, desejos e fraquezas, como quando éramos namorados — ou estamos enroladas com as amigas, o bingo, o carteado, o escritório, o mais recente mexerico sobre artistas de televisão ou sobre a vizinha?

E se ele um dia, depois de dez anos ou mais de casamento acabado, há muito transformado em amizade, nos pedir sua liberdade, se quiser nos dar a dádiva melhor, da sinceridade, da lealdade verdadeira? Se nos propusesse: "Vamos aceitar que somos bons amigos mas viver separados" — a gente ia encarar com dignidade e afeto... ou recorrer à baixaria, cobrar, constranger, chantagear?

Não sei. Receio que responder seja tão duro quanto perguntar. Não acho que a gente deva ser boazinha, gueixa submissa ou serviçal ressentida. Nem a eterna vítima, a castradora disfarçada de mártir.

Importante seria não deixar que a poeira da banalidade abafasse o que havia entre a gente de encantamento e magia, ainda que o namorado agora seja um marido mais barrigudo, e menos cabeludo, que chega em casa cansado demais pra reparar no quanto estamos bonitas ou exaustas.

O bom seria que continuássemos amantes, sendo também amigos. Pois amor é amizade com sensualidade: se não gosto do outro com seus defeitos e qualidades, manias e até pequenas loucuras, como foi que o escolhi para viver comigo numa casa, na mesma mesa, cama e talvez todo o tempo de minha existência? E se isso se desgastou, por que não permito, a ele e a mim, mudarmos o nosso contrato de amantes para amigos e cúmplices ainda?

Embora gostemos de nos apresentar como incompreendidas ou mal tratadas, merecedoras de todas as compensações imagináveis, é bom ponderar que a mulher-vítima e a mãe-mártir inspiram culpa e aflição, e perturbam toda uma família.

Resta saber o que fizemos com aquela relação, com nossa própria vida, auto-estima e dignidade, e como temos afinal lidado com esse homem que um dia foi o objeto máximo de nosso desejo e sonho.

26 | *A velhinha no saguão*

A notícia cai na minha sala como uma pedra atirada através da vidraça ou da tela da televisão: estilhaços de paz rompida, de alienação violentada.

Largaram uma velhinha no saguão de um hospital, com um bilhete preso na roupa: "Cuidem dela."

Criança, a gente lê a toda hora, tem sido achada no lixo, na porta, no mato. Mas velhinha, essa foi a primeira, ao menos minha. Pois de repente essa velha que mal e mal divisei na tela da tevê, pequena, mirrada, grisalha, com um vestido esquisito e largo demais, tornara-se a minha velhinha, minha responsabilidade, minha dor.

Nem tento achar uma explicação razoável, todas me parecem odiosas: sem dinheiro, sem poder cuidar da doente, sem comida, sem teto largaram-na ali para que tivesse melhores cuidados. Mas eu protesto. Mesmo sem ter razão, assim não quero.

Figura ficcional de realidade cotidiana, a partir dali por vários dias essa velhinha varou meus momentos de trabalho, de descanso, de caminhadas, de dirigir o carro, de tentar escrever.

Parada, atônita, mãos em garra pelo reumatismo, no rosto um vago sorriso de bebê satisfeito, ela se agarrava em nada, no que lhe restava da vida em meio às filas de doentes e da correria de médicos e enfermeiras. Ainda por cima, as luzes da câmera batiam na sua carinha de mico espantado.

Era quem sabe um jovem repórter perguntando:

— Como é que a senhora se sente, largada aqui no saguão do hospital?

Como a terão achado naquela multidão de doentes esperando vaga, de pé, em bancos ou até agachados junto das paredes? Será que foi se apresentar? Ei, moço, estou aqui, fui abandonada, cuidem de mim, olha o bilhete aqui na minha roupa, preso com o alfinete, viu?

Parece mais natural que tenha ficado ali horas e horas, como mais um desses exaustos e resignados pacientes, talvez vagamente consciente de que algo diferente acontecia com ela. Ou tudo para ela será sempre o mesmo nada. Esperava quietinha por atendimento, pela morte, por coisa nenhuma.

Uma velhinha abandonada no movimentado saguão de um hospital público, como um dúbio bebê na porta do nascimento. Desachada, desencontrada, largada no mundo cruel, arrancada de sua própria condição. Não era mais mãe, avó, filha, mulher, mãe, nem era gente: era um bicho largado porque estava doente, ou senil, ou os que deviam cuidar dela eram pobres ou frios demais.

Uma esperança me animou um pouco: que ela não atinasse com o que lhe acontecia.

Mas, irremediavelmente, eu ficara sabendo, e os cacos da janela de minha privacidade rompida continuam enfiados em mim.

27 | *Testemunho*

Para dar testemunho de meu tempo não preciso desfraldar uma bandeira partidária ou me enfiar nas trincheiras da guerra, nem as da violência cotidiana: na minha postura há de se refletir o que penso.

Para perseguir meus ideais não preciso me deixar matar: basta procurar a coerência, o que pode ser uma forma de heroísmo silencioso. Porém é bom lembrar que coerência rígida pode ser mediocridade.

Para ser boa filha não preciso me encolher, mentir, me afastar: os pais servem para fazer a gente crescer, eventualmente voar, ainda que seja para longe deles, mas sem que os laços de afeto precisem se romper.

Para ser boa mãe não preciso me vitimizar: a mãe-mártir desperta culpa e causa aflição. Só uma pessoa que se respeita e valoriza pode realmente amar seus filhos, prepará-los para não serem almas subalternas e lhes servir de eventual apoio.

Para ser boa amiga não preciso fingir nem mentir, vigiar nem agradar o tempo todo. Uma amiga verdadeira pode dar colo, abraço, escuta, dividir alegrias e ouvir confidências, mas não precisa bajular nem criticar.

Para ser boa amante não preciso me anular: basta — e já é difícil — ser estimulante e confiável, terna e cúmplice, quando for possível. Carinho não é servilismo nem sujeição.

Para ser inteira não preciso me defender erguendo barreiras à minha volta: às vezes só me fragmentando e dilacerando de amor, dor ou perplexidade, terei chance de juntar meus pedaços e me reconstruir mais inteira.

Para realizar alguma justiça social não preciso me despojar do que possuo, se o que tenho serve para a minha dignidade e não para o desperdício. O melhor é começar em casa, pois se pago miseravelmente a minha empregada, não posso pronunciar sem constrangimento palavras como "justiça" e "dignidade".

Para ser humana não preciso exigir de mim o que seria próprio de deuses, mas prestar atenção nos outros e abrir-lhes espaço, admitir o mistério de tudo, respeitar a vida, tolerar minhas fraquezas, aproveitar meus talentos e procurar o dom da alegria — que é fundamental.

Para viver bem devo eventualmente pensar na morte, não como um susto mas estímulo para ser melhor; para morrer bem devo curtir minha vida de um jeito positivo, não me enxergando como a última nem a primeira das criaturas, mas vivendo de modo que para alguém ao menos eu tenha feito alguma diferença.

Pois alienação é também cultivar a amargura e ignorar que a vida pode ser boa, o amor positivo, o ser humano comovente, e o significado de tudo acessível ao coração e ao sonho.

Se não posso corrigir os males do mundo, da minha reduzida condição pessoal, posso ao menos não colaborar para que ele se torne mais violento, mais mesquinho e mais cruel.

28 | *Numa cidade distante*

Tem mais de quarenta anos, e pela primeira vez viaja ao exterior, cheia de incertezas.

A vontade mesmo era ficar no conforto dos objetos familiares e da vida previsível cujos contornos às vezes pareciam se estreitar demais.

Vai num grupo de trabalho, mas no hotel e em algumas atividades está sozinha. Uma tarde vê-se obrigada a atravessar sem companhia a cidade desconhecida: dá os primeiros passos repetindo mentalmente o roteiro, segura a bolsa como se fosse a bússola de sua alma. Ao seu redor fragmentos de frases no idioma estrangeiro que ela entende mais ou menos, os cheiros e cores diferentes.

O sol incide sobre todas as coisas de uma forma nova.

Então é tomada de euforia: está num país remoto, numa cidade desconhecida, consegue andar e orientar-se — e não sente medo. É uma alegria inquietante para ela, que nunca imaginou sentir-se tão bem e contente longe da casa e da família. Antes, isso lhe pareceria uma traição. Agora, caminhando no chão do imprevisível, começa a dizer em voz alta: "Eu sou uma pessoa! Eu sou uma pessoa!"

E, sentindo-se ridícula, ri de si mesma, lágrimas nos olhos, como se tivesse acabado de nascer. Está só. Está livre, está completa, e, nesse instante, sem nenhuma culpa.

É capaz — sabe disso agora.

Nada a teria impedido de descobrir isso antes, não poderia acusar ninguém de estar querendo podar ou abafar sua personalidade. Eram amarras consentidas que a prendiam, muitas auto-impostas, um confortável papel que aceitara e assumira porque assim esperavam dela.

Mas ali, naquela breve caminhada, libertara em si uma pequena alma transgressora, ainda que de limites tão ínfimos que alguns até achariam graça. Nesse dia compreendeu que amadurecera. Entrou numa joalheria e comprou um anel, um aro muito simples, que nunca mais tirou do dedo: sua aliança consigo mesma e com a sua verdade.

Amadurecer passou a ser retirar as máscaras e ver no espelho o verdadeiro eu — onde se lia uma severa contabilidade de gastos e lucros, saldos nem sempre tranqüilizadores, pouca ousadia. Quanto de amargura, quanto de bom humor tinha sobrado, quanta capacidade e fervor para se renovar antes que a resignação encobrisse tudo?

Percebeu que não importava tanto o que havia lhe acontecido naqueles quarenta anos, mas o que ela estava fazendo com o que eventualmente acontecera. Era uma oportunidade assustadora e maravilhosa: amadurecer não significava estagnar, mas reafirmar — ou reinventar — cada dia aquilo que mesmo inconscientemente ela se propunha como o sentido, o rumo e o tom de sua vida.

Precisara chegar àquela cidade distante para fazer essa descoberta.

Levara quarenta anos para se encontrar como pessoa: talvez levasse mais quarenta para achar que entendera todos os significados disso.

Mas aí precisaria de outros quarenta para enfim ver que nada tem explicação, e que o interessante na vida não são as respostas: são os enigmas.

29 | *Para não dizer adeus*

1.
O coração explode
na dor acumulada e na fadiga:
o morto ensaia novos passos
ao ritmo de sua amante estranha.
Morrer foi mais do que uma escolha:
foi render-se enfim àquela melodia.

Baixa uma cunha de luz
sobre os que velam: enlaçado à sua amada,
o morto espreita atrás da cortina
enquanto se arma o cenário.
Na platéia, silêncio e surdez:
somos os não-iniciados.
Mas alguém conhece o roteiro,
alguém distribui os papéis, alguém
vai pronunciar nossos nomes.
Ninguém será esquecido
no palco que nos aguarda:

seremos vistos, seremos registrados,
também seremos chamados.

•

2.
Caminho entre as minhas perdas
— que são insetos escuros —
e os meus ganhos, douradas borboletas.

A luz de uma paixão, o dedo da morte,
o lento pincel da solidão
desenharam meus contornos, firmaram
meu chão.

Que liberdade não precisar pensar;
que alívio não ter de administrar
a minha vida:
apenas andar,
apenas olhar, apenas
ouvir essa voz, essas vozes
que vêm de longe, passam por mim
e não me dão a menor importância

porque no vasto oceano
a minha eventual desarmonia
é apenas uma gota
desafinada.
Mais nada.

•

30 | *Prioridades*

Bem que a gente podia fazer uma reforma para valer, não essas dos políticos e dos papéis, mas alguma coisa pessoal. Vital.

A reforma das nossas prioridades. Cansei de ouvir todo mundo reclamando que não tem tempo nem pra respirar, nada mais de conversas à mesa, nada mais de passeio tranqüilo, muito menos de sossego em família. Amantes, namorados, casais, amigos, todo mundo corre afobadíssimo para cumprir mil tarefas: das quais certamente novecentos e noventa seriam dispensáveis se a gente examinasse direito.

Tempo é dinheiro, diziam os pragmáticos, e isso se tornou lei universal. A conta do banco, o colégio dos filhos, o plano de saúde (num país onde o INSS é meio suicídio andado), o restaurante e o bar, a roupa de grife e a bolsa, até a mochila escolar do momento, sem a qual, é claro, o filho não garante nem que consiga passar de ano. A lista é longa, segundo a preferência de cada um.

Fico imaginando que se a gente fizesse uma faxina em nossos compromissos e deveres, boa parte desapareceria ligeiro no ralo do bom senso, e desapareceria para todo o sempre no nebuloso das nossas iniqüidades mais banais. Sobrariam alguns compromissos, dos quais não há como fugir: provavelmente saúde, prestação do apartamento, escola (a pública estando como está) e alguns outros (poucos).

Comprar não é um dever, quando não se trata do indispensável ou do que faz bem. Comprar pode ser, e tem sido, em grande parte moda, mania, quase neurose. Andar com a roupa do momento pode ser burro e pobre: por que todas as meninas parecendo fantasiadas para desfilarem no mesmo bloco? Por que todas com a mesma sandália só porque alguém na televisão...? Por que pais e mães se sacrificam para poderem dar aos meninos alguns absurdos caros, talvez ridículos?

Não quero que meus netos e netas andem muito diferentes de sua turma. Mas não desejaria que seus pais trabalhassem mais horas do que o necessário para lhes permitir algumas insanidades.

Não acho que os casais precisem ter apenas, para seu encontro, as poucas horas da noite, exaustos do dia intenso, da hora extra, quem sabe até do trabalho no fim de semana. Se for para sobreviver com dignidade, paciência: muitas vezes tem de ser. Mas muitíssimas vezes não precisaria ser assim. Labutamos como animais para além do que seria humano, e para aquilo que nem é importante: para o fútil excessivo (um pouco de futilidade, sim, ou nos desumanizamos), para o mais do que tolo (um pouco de tolice, sim, ou viramos estátuas).

Uma hora menos de trabalho extra por dia — não vou poder comprar aquele tênis importado caríssimo, o menino vai emburrar — pode significar uma hora de carinho, de convívio a mais.

Um fim de semana menos de trabalho extra — mas como vou dar aquela roupa caríssima, a menina vai se frustrar, e tem o cursinho de inglês, e o de nem lembro o quê... e a mulher quer aquelas férias naquele hotel caro, e chegou a hora de trocar o carro... — pode representar um encontro onde a gente vai enxergar de verdade o filho, o irmão, a amante, o marido, o amigo.

Ou a si mesmo, ficando quieto na rede, na praça, até na cama, pensando. De bobeira. Olhando a nuvem, o galho de flor pela janela, deitado na grama ou na areia com a cara no sol, sentindo o mundo respirar, e fazendo parte desse ritmo imenso. Sentindo que somos gente, dentro de algo misterioso chamado vida. Reformulando nossos planos, tentando saber o que queremos para nós.

Muito do que gastamos (e nos desgastamos) nesse consumismo feroz podia ser negociado com a gente mesmo: uma hora de alegria em troca daquele sapato. Uma tarde de amor em troca da prestação do carro do ano; um fim de semana em família em lugar daquele trabalho extra que está me matando e ainda por cima detesto.

Não sei se sou otimista demais, ou fora da realidade. Mas, à medida que fui gostando mais de meus jeans, camisetas e mocassins, me agitando menos, querendo ter menos, fui ficando mais tranqüila e mais divertida. Sapato e roupa simbolizam bem mais do que isso que são: representam uma escolha de vida, uma postura interior.

Nunca fui modelo de nada, graças a Deus. Mas amadurecer me obrigou a fazer muita faxina nos armários da alma e na bolsa também. Resistir a certas tentações é burrice; mas fugir de outras pode ser crescimento, e muito mais alegria.

Cada um que examine o baú de suas prioridades, e faça a arrumação que quiser ou puder.

Que seja para aliviar a vida, o coração e o pensamento — não para inventar de acumular ali mais alguns compromissos estéreis e mortais.

31 | *Canção dos homens*

Que quando chego do trabalho ela largue por um instante o que estiver fazendo — filho, panela ou computador — e venha me dar um beijo como os de antigamente.

Que quando nos sentarmos à mesa para jantar ela não desfie a ladainha dos seus dissabores domésticos. E se for uma profissional, que divida comigo o tempo de comentarmos nosso dia.

Que se estou cansado demais para fazer amor, ela não ironize nem diga que "até que durou muito" o meu desejo ou potência.

Que quando quero fazer amor ela não se recuse demasiadas vezes, nem fique impaciente ou rígida, mas cálida como foi anos atrás.

Que não tire nosso bebê dos meus braços dizendo que homem não tem jeito pra isso, ou que não sei segurar a cabecinha dele, mas me ensine docemente se eu não souber.

Que ela nunca se interponha entre mim e as crianças, mas sirva de ponte entre nós quando me distancio ou distraio demais.

Que ela não me humilhe porque estou ficando calvo ou barrigudo, nem comente nossa intimidade com as amigas, como tantas mulheres fazem.

Que quando conto uma piada para ela ou na frente de outros, ela não faça um gesto de enfado dizendo "Essa você já contou umas mil vezes!"

Que ela consiga perceber quando estou preocupado com trabalho, e seja calmamente carinhosa, sem me pressionar para relatar tudo, nem suspeitar de que já não gosto dela.

Que quando preciso ficar um pouco quieto ela não insista o tempo todo para que eu fale ou a escute, como se silêncio fosse sinal de falta de amor.

Que quando estou com pouco dinheiro ela não me acuse de ter desperdiçado com bobagens em lugar de prover minha família.

Que quando eu saio para o trabalho de manhã ela se despeça com alegria, sabendo que mesmo longe eu continuo pensando nela.

Que quando estou trabalhando ela não telefone a toda hora para cobrar alguma coisa que esqueci de fazer ou não tive tempo.

Que não se insinue com minha secretária ou colega para descobrir se tenho uma amante.

Que jamais se permita nenhuma alusão, mesmo de brincadeira, seja positiva ou negativa, sobre meu desempenho sexual.

Que com ela eu também possa ter momentos de fraqueza e de ternura, me desarmar, me desnudar de alma, sem medo de ser criticado ou censurado: que ela seja minha parceira, não minha dependente nem meu juiz.

Que cuide um pouco de mim como minha mulher, mas não como se eu fosse uma criança tola e ela a mãe onipotente; que não me transforme em filho.

Que mesmo com o tempo, os trabalhos, os sofrimentos e o peso do cotidiano, ela não perca o jeito terno e divertido que tanto me encantou quando a vi pela primeira vez.

Que eu não sinta que me tornei desinteressante ou banal para ela, como se só os filhos e as vizinhas merecessem sua atenção e sua alegria.

E que se erro, falho, esqueço, me distancio, me fecho demais, ou a machuco consciente ou inconscientemente, ela saiba me chamar de volta com aquela ternura que só nela eu descobri, e desejei que não se perdesse nunca, mas me contagiasse e me tornasse mais feliz, menos solitário, e muito mais humano.

32 | *Eu falo é da vida*

Alguém diz que escrevo demais sobre a morte. Certamente ao escrever me envolvo com alguns objetos de minha fascinação, talvez obsessão: a vida, os amores, os desvãos disso que se chama alma humana. E, sobrepairando a tudo com seu olho de espreita, o incompreensível e imponderável fim, que nos determina pois dá valor à nossa vida.

No fim da adolescência, por circunstância e acaso tive meu primeiro real encontro com a visitante que chamavam morte. Fiquei mais de uma hora junto de uma de minhas avós, que tinha morrido durante o sono. Fomos chamados de madrugada, e na correria para tomar providências sobrei eu para lhe fazer companhia.

Não queriam que eu ficasse, mas achei esquisito deixar sozinha, mesmo por um momento, essa que cuidara de mim quando criança, preparara tantas xícaras de chocolate, fizera tantos bolos, contara tantas histórias naquele mesmo quarto, para eu dormir.

Então, fiquei. Primeiro, junto da janela. Mais do que medo, senti curiosidade: tudo parecia tão novo e estava tão diferente, embora o quarto me fosse muito familiar com sua cama torneada, o toucador com os velhos objetos, o cheiro de água-de-colônia, e vagamente de coisa seca e fanada.

Criando coragem saí de junto da janela e fui me sentar ao pé da cama.

Aos poucos foi como se eu visse minha avó pela primeira vez. Tomei-me de um novo amor por ela, imaginando a menina de cabelos claros e crespos que levava para lavar no riacho as roupas de sua família; pensei na moça audaciosa de perfil um pouco arrogante e firme olhar azul, no retrato que hoje está junto de minha mesa de trabalho; tentei reconstruir em mim sua existência de afetos e trabalhos.

Pela primeira vez assim juntas, eu na minha vida e ela na sua morte, fomos cúmplices. Sem a irritação que às vezes ela me causava quando eu era pequena, como tantas vezes mães e avós fazem, porque precisam cuidar e educar — o que é a parte pior do amor.

Nunca mais tive medo dos mortos nem os achei estranhos. Pena que a gente não aprenda muito com nossas experiências importantes: estamos empacotados e rotulados nesses volumes de gente indiferenciada que se empilham nas casas, nos edifícios, nos automóveis.

Não foi na morte que mais pensei, naquele quarto de paredes altas, enfeitadas bem em cima por uma ramagem de rosas e os inevitáveis espinhos. Refleti sobre o que talvez tenha se tornado uma de minhas obsessões: como vivemos ou deixamos que se desperdice o tempo que nos é dado.

Nem é da morte que falo quando escrevo a palavra "morte": falo da vida, que um dia será declarada irreversível e irrevogável, com tudo o que fizemos e deixamos de fazer até a hora daquela enigmática visita: desde o nosso primeiro grito ao chamado último suspiro.

33 | *Histórias de bruxa boa*

Nem todos os leitores adultos se interessam por histórias infantis.

Recentemente entendi que podem ser invenções deliciosas para adultos que não esqueceram o tempo em que, antes de sermos adestrados pela escola, achávamos que o jardim de nossa casa era encantado.

Depois de anos e anos de editoras me pedindo (em vão) histórias infantis, comecei a anotar algumas das que tenho contado aqui em casa, enriquecidas pela fantasia maravilhosa de minha neta de quatro anos. Como vêem, a gente faz muita coisa de que antes duvidava. Acontece que realmente todos somos muitos.

Era uma vez uma menina que se chamava... bom, o nome de verdade não importa. Nós vamos usar o seu nome encantado, que era Tatinha. Essa menina morava com Papai e Mamãe no andar de cima de uma casa. No térreo morava sua avó, mãe da Mamãe.

Essa avó era muito engraçada, alta, grandona, sempre escrevendo no computador. Seu nome encantado era Libeth. Ela era um pouco diferente das outras avós, porque era uma bruxa. Pouca gente sabia isso: era segredo. Mas ela era bruxa boa, claro, das que fazem feitiço para proteger as pessoas e assustar as bruxas más.

Quando não estava na escola nem brincando no jardim, nem no seu quarto desenhando ou olhando livros de história, ou quem sabe assistindo a um pouco de televisão, Tatinha gostava de ficar perto da Vovó.

Às vezes esta deixava a neta jogar em seu computador, uns jogos de criança bem bonitos, outras vezes lhe mostrava um pouco de seus feitiços. E falava na sua guerra contra outras bruxas más, principalmente as que moravam perto de casa, e de que a gente vai falar daqui a pouco.

Um dia na escolinha as crianças estavam no pátio comendo seus lanches e brincando. Aí Tatinha esqueceu que aquilo era segredo, e contou que sua avó era bruxa.

— Onde já se viu — disseram as meninas — avó da gente ser bruxa?

— Mas a minha é, sim — respondeu a Tatinha, já ficando zangada.

Os meninos da turma duvidaram:

— Bruxa de verdade não existe! E sua avó nem é tão feia, nem tem cara assim de bruxa. A gente não tem medo dela. Ela às vezes traz você para a escola de carro, e bruxa voa montada em vassoura!!!!

— Mas eu já falei que ela é bruxa boa! — explicou Tatinha de novo, quase chorando. — Bruxa boa é diferente!

— E ela faz feitiço?

— Faz, claro que faz!

As crianças continuavam duvidando. Então a menina Tatinha disse:

— Pois eu vou contar pra vocês umas histórias da minha

avó Lilibeth, pra verem que realmente existe bruxa boa, e ela é uma dessas.

— E que história vai ser essa? — perguntou a professora, sentando junto das crianças.

— É a história das bruxas más — respondeu Tatinha. E o que ela contou foi mais ou menos assim:

Era uma vez duas bruxas muito feias e muito más, que eram irmãs. Uma se chamava Bruxa Cara-de-Panela, e a outra Bruxa Cara-de-Janela. A Cara-de-Panela era gordinha, com cara assim (redonda), a Cara-de-Janela era magra, com cara assim (retangular).

Elas moravam num buraco enorme, na esquina da rua da casa da Tatinha, uma toca escura onde viviam com ratos feios e fedorentos. Os ratos traziam doença e eram muito perigosos. Havia ratos porque algumas pessoas ainda jogavam lixo na rua ou nos terrenos baldios, e assim os ratos sempre tinham o que comer.

Um dia, Tatinha correu para o escritório no andar de baixo da casa, onde sua avó Lilibeth estava trabalhando no computador, e disse:

—Vovó, sabe o que eu escutei?

— Fala, filhota (Vovó gostava de chamar Tatinha de filhota)

— Mas larga o computador, Vovó, escuta o que eu quero lhe dizer!

Vovó suspirou, tirou os óculos, girou a cadeira, e olhou a neta, que estava linda e um pouco assustada:

— O que foi, meu amorzinho?

— Vovó, eu escutei as duas bruxas malvadas que moram naquele buracão ali na esquina falando que iam fazer uma maldade pra gente.

— Mas o que elas diziam? — perguntou a Vovó.

— Que eram mais poderosas do que você, e iam fazer você ficar muito, muito doente. Igual à Branca de Neve quando comeu a maçã envenenada.

Mal Tatinha terminou de dizer isso, ouviram-se na rua uns guinchos agudos. Vovó e Tatinha correram até a janela da sala, de onde se via bem a calçada. Passava um verdadeiro cortejo de muitos ratos enormes, meio pelados, puxando uma carrocinha feita de gravetos, onde vinham as duas bruxas más: Cara-de-Panela com vestido roxo, Cara-de-Janela com vestido preto.

Quando passaram diante da casa e da janela onde Vovó e Tatinha espiavam, elas levantaram as mãos e gritaram com voz de bruxas malvadas:

— Pode esperar, Lilibeth! A gente vai mostrar que tem mais poder do que você!!! Vamos te transformar numa coruja horrorosa.

Tatinha ficou muito assustada, mas a Vovó só deu risada.

— Vamos ver, vamos ver! — respondeu calmamente para Cara-de-Janela e Cara-de-Panela, e fechou a janela.

Então voltou para seu escritório, deixou Tatinha entrar e fechou a porta.

— Vovó, eu sou sua bruxinha-ajudante, não sou? — perguntou a menina.

— Eu já disse que sim. Quando crescer você vai ser bruxa boa como eu. Isso passa de mãe para filha, ou de avó para neta — repetiu Vovó.

— E a minha Mamãe não é bruxa? — perguntou Tatinha mais uma vez.

— Não, porque não passa para todas as filhas ou netas, só

algumas. Sua mãe é linda e inteligente, mas tem a cabeça no lugar — respondeu a Vovó com paciência.

Tatinha não entendeu muito bem aquilo, porque a cabeça de Vovó, e a dela mesma pareciam estar bem direitinho no lugar entre os ombros. Mas resolveu não perguntar mais nada.

Vovó fechou a porta do escritório com a chave. Abriu uma gaveta secreta, e tirou uns pozinhos e líquidos esquisitos que estavam em uma porção de vidros pequenos e coloridos. Ninguém sabia da existência dessa gaveta secreta, só Tatinha.

— Vovó, o que tem nesses potinhos? — perguntou Tatinha, muito curiosa.

— Eu já lhe disse.

— Mas diga de novo, Vovó!

— Tudo bem. Isto aqui são poções mágicas, para fazer bem aos bons, e mal aos maus. Aqui dentro eu misturei cocô de morcego, gotas de xixi de coruja, um pouco de gosma de sapo e teia de aranha venenosa. E outras coisinhas mais. Tudo muuuuuuuuuito poderoso! — explicou a Vovó em voz baixa, ar misterioso. Tatinha ficou arrepiada.

Vovó foi mexendo a panelinha onde despejava as poções, dizendo umas rezas de bruxa boa:

— Unidunitê, Salamemingüê, abracadabra, pift-paft, pum de cobra e espinho de ouriço, está feito meu feitiço.

As bruxas más voltavam pela calçada no seu carrinho puxado pelos ratos medonhos, as bruxas riam, os ratos guinchavam.

Então Vovó abriu a janela, e quando elas passavam bem debaixo soprou aquele pó de feitiço nas cabeças de Cara-de-Panela e Cara-de-Janela, e disse:

— Agora vocês duas vão virar dois ratos enormes, suas malvadas!

Tatinha então pediu depressa:

— Faz elas se transformarem em ratos de gelo, Vovó!

Lilibeth, a bruxa boa, acrescentou bem alto:

— Isso mesmo, dois ratos de gelo, assim nem podem mais se mexer. E vão se derreter no sol.

Na mesma hora as duas bruxas más viraram dois enormes ratos de gelo escuro. E quando surgiu o sol, foram-se derretendo, e derretendo no calor. Por fim sumiram na terra, e Tatinha pensou que nunca mais iam fazer mal a ninguém.

Mas isso pode dar uma outra história...

34 | *Anistia*

Éramos um pequeno grupo de mulheres trocando idéias em encontros semanais para debater a questão da passagem do tempo, seu efeito sobre nós, e como a encarávamos em nossa realidade pessoal.

Estabeleceu-se um desses climas de cumplicidade feminina que favorecia, mais que o pretendido debate, confidências.

Descobrimos muitos pontos comuns: éramos menos originais em nossas aflições ou dúvidas do que tínhamos pensado. Os temas sugeridos para cada encontro variavam: arrependimentos, conquistas e fracassos, alegrias.

Como era de esperar, mais arrependimentos pelas omissões ao longo da vida do que alegria pelas realizações. Mas àquela altura, e daquela perspectiva, nesses diálogos aprendíamos a lançar um olhar novo sobre nossa trajetória.

Alguém sugeriu que se falasse sobre coisas que nos causavam raiva. O termo pareceu difícil: como nos permitir raiva das pessoas que amamos, e geralmente são as que interferem em nossa vida, projetos e frustrações? Ninguém admitia sentir raiva, como se fosse vergonhoso, como se mulher só pudesse ter emoções amenas.

Explicou-se que raiva não era nem ódio nem rancor, mas podia ser um impulso positivo: melhor do que submissão ou ressentimento.

Por fim, uma começou timidamente dizendo ter raiva da tirania com que a mãe inválida a tratava, jamais reconhecendo os esforços da filha por melhorar suas condições de vida, nunca demonstrando afeto, eternamente insatisfeita e cheia de autocomiseração.

Outra então disse ter raiva dos sacrifícios que fazia pelos dois filhos adultos que ainda moravam com ela, exigindo serviços como se ela fosse sua cozinheira, lavadeira, moça de recados e babá — e mais uma vez a mágoa era maior porque não retribuíam com o menor gesto de carinho.

Nos dois casos, os cuidados eram parte da "tarefa" de ser mãe ou filha. Mulher, em suma. "Mulheres são cuidadeiras" é uma frase banal: mas será nosso destino ou escolha?

— Acho que a gente é educada assim — comentou uma — e passamos a vida cumprindo esse papel, ainda que nos empobreça e nos torne infelizes.

Outras sentiam raiva e arrependimento por escolhas feitas na juventude: "eu podia ter feito doutorado no exterior, mas tinha dois filhos pequenos e não deu nem para pensar nisso"; "eu queria estudar Direito quando os filhos eram adolescentes, mas eles reclamaram das minhas ausências de casa e larguei..."; "eu tinha um excelente emprego mas saí da empresa porque meu marido não me deixava trabalhar fora..."

A lista foi longa e o debate animado. Éramos de uma geração que não tivera muitas escolhas, ou escolhas fáceis: fora preciso descobrir nosso desejo e potencial, vencer medo e preconceitos, derrubar mitos, contrariar pessoas importantes em seus afetos, ter uma audácia que não se esperava da gente.

Revisamos alguns conceitos: submeter-se a filhos grosseiros é resultado de toda uma relação, desde o nascimento deles (e do nosso também, pois repetíamos eventualmente velhos padrões). A mãe vítima, a mártir venerada, a eternamente disponível e de preferência sem vida própria, ainda aparecia como modelo desejável. Não tenho dúvidas de que essa imagem materna desperta nos filhos (e no marido) sensações contraditórias de culpa e insatisfação.

Deixar um bom emprego porque o marido não admitia ("mulher minha não trabalha fora") era melancólico mas nada original: mulheres que numa relação não são amantes/amigas mas meninas submissas, vivem a sua solidão e aumentam a dos seus companheiros.

Não fazer doutorado no exterior pelos filhos pequenos pode abrir um buraco na alma e uma lacuna concreta em uma atividade profissional. Mas alguém sugeriu a pergunta: a família era uma real prioridade minha, sabida e consentida, ou agi apenas por covardia? Naquele caso, tinha existido uma prioridade válida.

A lista seria longa: interessa que nesses encontros muita coisa ficou menos confusa, e mais claros os "buracos" que decisões passadas ainda representavam no caminho de cada uma.

Diante deles havia várias posturas possíveis: podiam ser contornados, ignorados, tapados, ou preenchidos de mágoa e arrependimento.

Mas também podiam ser aliviados ao se constatar: naquele momento, eu fiz o melhor que podia. Ou essa pessoa, da qual tanto me ressinto, fez o melhor que sabia.

Assim pelo menos mudamos nossa postura com relação ao irremediável: uma reconciliação consigo mesma, com aquela que tínhamos podido ser na juventude, no começo da vida adulta, ou até depois.

"A gente tem de se perdoar, é isso?", perguntou alguém. Acabamos escolhendo outro termo, que não conotasse magnanimidade ou bondade, mas justiça: a gente se "anistiava" pelas escolhas indevidas. E "anistiava" os que aparentemente tinham nos causado mal, subordinando nossas capacidades ou desejo a seus próprios interesses, ou a algum modelo vigente.

Assim largávamos pelo caminho os pequenos cadáveres que ainda provocavam lamentações: "ah, se eu tivesse, se ele tivesse..."

Também aprendemos que um pouco de bom humor é terapêutico. Na maturidade podemos nos divertir com coisas que anos atrás nos fariam perder noites de sono. Conseguimos fazer uma faxina na alma, removendo coisas aparentemente simples mas que podem ser muito onerosas. Botar fora essa carga emocional de mágoa e frustração que atravanca nossas gavetas interiores traz grande alívio.

Quando tudo parece insoluvelmente ruim, um recurso, ensinou-me uma amiga mais sábia do que eu, é indagar: Isso que está me atormentando é tragédia, ou é só chateação?

Na imensa maioria das vezes nos enredamos no que é chateação. A conta atrasada, o patrão estúpido, o colega invejoso, o filho malcriado, o marido deprimido, a velha mãe descontente, cinco quilos a mais, frustrações tão antigas, as próprias limitações. Chuva demais, sol demais. Muito frio, muito calor: de repente, cada vez que respiramos o mundo parece acabar.

Como reagimos a tudo isso depende de criação, ambiente familiar, disposição genética (ah, a genética da alma...), situações do momento. O pessimista colhe todas as notícias ruins do jornal e manda por e-mail para os amigos; o excessivamente otimista acha que a vida é a das telenovelas nos momentos dourados.

O razoável sabe que o ser humano não é grande coisa, mas gosta dele; entende que a vida é luta, mas quer vivê-la bem. Terapia, uma bela caminhada, um novo amor, pintar o cabelo, jantar num lugar delicioso, mudar de lugar os vasos do jardim, comprar um cachorro, ir ao futebol, planejar uma viagem (poder ser só até ali), refletir — tudo isso contribui para mudar um pouco a perspectiva que a gente vinha cultivando.

Tudo é melhor do que a autocompaixão, porque nessas areias movediças quanto mais ficamos mais somos engolidos. É o desperdício da vida que podemos ter e não curtimos, porque a tratamos como prima pobre dos nossos desejos encolhidos na medida da nossa falta de fervor.

35 | *Somos gente*

Decretaram que pessoas com mais de sessenta anos merecem alguns benefícios.

Há mais tempo decretaram que negro era gente. Há menos tempo que isso decretaram que mulher também era gente, pois podia votar.

Mas voltando aos com mais de sessenta: decretaram coisas que deveriam ser naturais numa sociedade razoável. Não as vejo como benefícios mas como condições mínimas de dignidade e respeito. Benefício tem jeito de concessão, caridade. Coisas como não lhes cobrarem mais pelo seguro saúde porque estão mais velhos, na idade em que possivelmente vão de verdade começar a precisar de médico, remédio, hospital, não deveriam ser impostas por decreto.

Decretaram também que depois dos sessenta as pessoas podem andar de graça no ônibus e pagar meia entrada no cinema. Perceberam, pois, que após os sessenta as pessoas ainda se locomovem e se divertem. Pensei que achassem que nessa altura a gente ficasse inexoravelmente meio inválido e... invalidado.

Que sociedade esquisita esta nossa, em que é preciso decretar que em qualquer idade a gente é gente.

•

Antes disso, decretaram que não se pode maltratar criança. Que criança merece casa, comida, escola. Campanhas de "salvem as baleias" foram anteriores, eu acho, ao "salvem as crianças" metafórico. Existe Sociedade Protetora das Crianças? (Os conselhos tutelares existem, e sei que são maravilhosos. Ao menos isso.) Deveriam também ter decretado que é preciso dar às crianças carinho, colo, atenção e alegria.

Porque isso, o indecretável amor, anda raro.

•

Decretaram que ninguém deve passar fome? Acho que não, por enquanto é uma campanha meio vaga. Mas deviam decretar, primeiro, que ninguém tenha mais filho do que pode decentemente alimentar (fora o resto, claro, como saúde, escola e casa).

Deviam decretar que ninguém pode explorar o outro pagando salário vil (ah, tem o mínimo, é verdade), nem dar de comer restos da mesa do patrão, nem tratar com menosprezo... mas também seria bom decretar que o patrão ou a patroa não pode pagar tanto imposto em troca de quase nada. Meio mundo falindo, fechando, sumindo... cada vez menos empregos, claro.

•

Já decretaram que não se mora embaixo da ponte, que pessoas não devem ser vilipendiadas, traídas, humilhadas, brutalizadas, vendidas, esquecidas? Que homossexual é pessoa como a mulher, como o velho, como qualquer um de nós, com a mesma dignidade e o mesmo valor?

Algumas dessas coisas, parece que sim.

E que não se deve ser corrupto, falso, arrogante, prepotente, hipócrita, cínico, doentiamente vaidoso, vender a alma ao diabo e quem sabe a do outro também (sem que ele saiba, claro) — isso já se decretou?

E que ninguém deveria sacrificar a vida e o amor no altar do preconceito e da culpa nem pagar o preço de sua felicidade ao ídolo do ressentimento — isso podia-se ainda decretar?

Concluindo, seria preciso decretar, urgentemente, que o preconceito é doença, a infelicidade é proibida, e a burrice é crime inafiançável, amém.

36 | *Subir pelo lado que desce*

"Viver é subir uma escada rolante pelo lado que desce."

Ouvindo essa frase imaginei qualquer pessoa nessa acrobacia que crianças fazem ou tentam fazer: escalar aqueles degraus que nos puxam inexoravelmente para baixo. Perigo, loucura, inocência, ou boa metáfora do que fazemos diariamente?

Poucas vezes me deram um símbolo tão adequado para a vida, sobretudo naqueles períodos difíceis em que até pensar em sair da cama dá vontade de desistir. Tudo o que a gente queria era cobrir a cabeça e dormir, sem pensar em nada, fingindo que não estamos nem aí...

Porque Tânatos, isto é, a voz do poço e da morte, nos convoca a cada minuto para que a gente enfim se entregue e se acomode. Só que acomodar-se é abrir a porta para tudo isso que nos faz cúmplices do negativo. Descansaremos, sim, mas tornando-nos filhos do tédio e amantes da pusilanimidade, personagens do teatro dos que constantemente desperdiçam seus próprios talentos e dificultam a vida dos outros.

E o desperdício de nossa vida, talentos e oportunidades é

o único débito que no final não se poderá saldar: estaremos no arquivo morto.

Não que a gente não tenha vontade ou motivos para desistir: corrupção, violência, drogas, doença, problemas no emprego, dramas na família, buracos na alma, solidão no casamento a que também nos acomodamos... tudo isso nos sufoca. Sobretudo se pertencermos ao grupo cujo lema é: Pensar, nem pensar... e a vida que se lixe.

A escada rolante nos chama para o fundo: não dou mais um passo, não luto, não me sacrifico mais. Pra que mudar, se a maior parte das pessoas nem pensa nisso e vive do mesmo jeito, e do mesmo jeito vai morrer?

Não vive (nem morrerá) do mesmo jeito. Porque só nessa batalha consigo mesmo, percebendo engodos e superando barreiras, a gente também pode saborear a vida. Que até nos surpreende quando não se esperava, oferecendo-nos novos caminhos e novos desafios.

Mesmo que pareça quase uma condenação, a idéia de que viver é subir uma escada rolante pelo lado que desce é que nos permite sentir que afinal não somos assim tão insignificantes e tão incapazes.

Colheremos quem sabe ainda uma vez — ou finalmente — a fruta mais dura de mastigar e mais doce de sentir: um amor bom.

Então, vamos à escada rolante: aqui e ali até conseguimos saltar degraus de dois em dois, como quando éramos crianças e muito mais livres, mais ousados e mais interessantes.

E por que não? Na pior das hipóteses caímos, quebramos a cara e o coração, e podemos ainda uma vez... recomeçar.

37 | *Caras na minha janela*

Há qualquer coisa de especial nisso de botar a cara na janela em crônica de jornal — eu não fazia isso há muitos anos, enquanto me escondia em poesia e ficção.

Eu tinha esquecido como era esse gosta/não gosta, fala/não fala. O cronista não escreve para ser gostado nem xingado, embora sabendo que vão acontecer as duas coisas. Ele escreve *porque sim*. Num ano serão dezenas de artigos, em alguns anos tudo se perdeu na poeira aquela.

Inevitavelmente no dia da crônica as pessoas te olham com diversas caras (algumas por conta da paranoiazinha de todo escritor): a cara do que acha que devia dizer alguma coisa mas não leu; o que gostou mas podia ter sido melhor, sobretudo se for amigo: pra eles, a gente tem de ser sempre o máximo.

O que detestou e sente até pena de você, "bem que ele/ela se esforça...". Tem o eterno sabichão: "Foi bom, mas se você..." Há o que gostou mas não é de falar, aí faz aquele olhar cúmplice, ou comenta sutilmente dias depois. Aliás, o melhor da amizade é poder ficar quieto. Porque também a gente não liga todo dia para os amigos pra dizer: "Olha, vi tua namorada no shopping, ela está uma ruína!"

Esperar que as pessoas se manifestem, sobretudo que gostem, seria mortal: o estresse liquidaria com a alegria do trabalho. A unanimidade provaria que a gente nem existe. Crônica algumas vezes também é feita, intencionalmente, para provocar. Além do mais, em certos dias mesmo o escritor mais escolado não está lá grande coisa.

Tem os que mostram sua cara escrevendo para reclamar: moderna demais, antiquada demais. Alguns discorrem sobre o assunto, e é gostoso compartilhar idéias.

Há os textos que parecem passar despercebidos, outros rendem um montão de recados: "Você escreveu exatamente o que eu sinto", "Isso é exatamente o que falo com meus pacientes", "É isso que digo para meus pais", "Comentei com minha namorada".

Os estímulos são valiosos pra quem nesses tempos andava meio assim: é como me botarem no colo — também eu preciso. Na verdade, nunca fui tão posta no colo por leitores como na janela do jornal.

De modo que está sendo ótima, essa brincadeira séria, com alguns textos que iam acabar neste livro, outros espalhados por aí. Porque eu levo a sério ser sério... mesmo quando parece que estou brincando: essa é uma das maravilhas de escrever. Como escrevi há muitos anos e continua sendo a minha verdade:

Palavras são meu jeito mais secreto de calar.

38 | *Revogue-se*

Relacionamentos se constroem ao longo dos anos de sua duração: os dois parceiros vão tramar consciente ou inconscientemente a teia que os vai envolver ou separar, o casulo onde vão abrigar ou sufocar seus filhos.

Amor não deveria ser prisão ou dever, mas crescimento e libertação. Porém se gostamos de alguma coisa ou de alguém, queremos que esteja sempre conosco. Perda e separação significam sofrimento, mas não o fim da vida nem o fim de todos os afetos.

Certa vez me entregaram um bilhete que dizia:

"Se você ama alguém, deixe-o livre."

Poucas afirmações são tão difíceis de cumprir, poucas contêm tamanha sabedoria em relação aos amores, todos os amores: filhos, amigos, amantes. Amor é risco, viver é risco. Pois permitir, até querer que o outro cresça ao nosso lado, pode significar que crescerá afastando-se de nós.

Mas — essa é a força e a beleza do desafio de uma vida a dois — o outro, crescendo, pode-se abrir mais para nós, que participaremos dessa expansão. Instaura-se uma instigante parceria amorosa, na qual o tempo não servirá para desgaste mas para construção. É um processo de refinamento da cumplicidade que brilha em algumas relações mesmo depois de muitos anos, muitas perdas, e muitos difíceis recomeços — desde que haja sobre o que reconstruir.

Em contrapartida, alguém muito torturado me disse certa vez:

"Se você conhecesse o clima na casa de meus pais, entenderia por que eu sou tão doente."

Era realmente uma alma retorcida, novelo de mágoas. Sua confiança na vida fora solapada pelo que via em casa, sua crença nos afetos contaminada pelo que ali presenciava.

Muitas vezes a salvação está na separação, embora casais não se separem apenas por frieza ou desamor. Às vezes houve tamanhas transformações no curso do tempo, que o mais digno, o mais libertador para todos, é uma separação com respeito e amizade.

Casais podem se separar com dignidade, apesar das dores iniciais, e com certeza nunca fizeram nada de melhor pelos seus filhos, embora esse conceito seja relativamente inovador.

Não acho um fracasso uma relação que dure dez, vinte anos e depois termine. O "que seja eterno enquanto dure" de Vinicius não era cinismo, porém constatação de que um amor pode se transformar em um afeto que foge às definições e permanece mesmo depois de uma separação. Desde que não se abafe essa possibilidade debaixo de camadas de rancor e desejo de vingança.

Hoje começamos a entender e admitir que relacionamentos mudam ou se desgastam, contratos afetivos se refazem, e a família, que não vai acabar, abre portas e janelas para novas maneiras de se relacionar mesmo depois que o casamento termina.

Tudo o que se viveu de bom ou ruim liga para sempre, se foi intenso ou prolongado. Nem divórcio nem morte apagam a presença do outro, que em qualquer dessas circunstâncias há de continuar lançando a sua sombra: boa ou negativa.

Será preciso tempo, descoberta e cultivo de outros interesses, abertura para novos afetos, para que essa ferida feche: e ela fecha, não deixando necessariamente cicatrizes inflamadas. Por outro lado, nada cresce bem no terreno de uma relação ruim. Viver lado a lado em silêncios ressentidos, críticas pronunciadas ou abafadas, isolamento e indiferença pode ser uma condenação.

Velhos casais não são sempre amigos.

Jovens casais não são sempre amantes.

Relacionamentos podem ser mortais.

O que mais identifica um par é o clima que circula entre eles além de palavras e gestos: uma química de pele e emoção, mel ou veneno, emoções que, se forem positivas, vão nos abrir para vivências.

O primeiro toque sobre uma criança ao nascer vai definir parte de seu destino: é a atmosfera de amor ou de hostilidade e frieza, que reina entre seus pais. Nascendo, caímos nessas marés sombrias ou positivas. Se forem menos saudáveis, chegamos ao mundo como quem naufraga. Serão precisos muito esforço pessoal e afetos bons para nos salvar.

Laços negativos podem unir mais que os do amor. E matam. Torna-se impossível viver, respirar, sem o inimigo de dentro da casa: mulheres dominadoras, maridos grosseiros, filhos assustados e revoltados, uma violência que não precisa ser de gritos e golpes, mas a violência inominável da indiferença. Arma-se uma rede que prende e lentamente sufoca toda a alegria.

Onde quer que morem essas famílias, sobre a porta de entrada pode-se ler a sentença que vai recair também sobre os mais inocentes:

"Aqui revogou-se a esperança."

39 | *Dicionário para crianças*

O menino de sete anos chegou até o pai e pediu um dicionário.

O pai lhe botou na mão um dicionário escolar, bastante simples. A criança olhou, leu, sacudiu a cabeça:

— Tá difícil, pai, isso aí não interessa. Não tem dicionário pra criança?

Hoje deve ter, mas naquele tempo não tinha. Enquanto os adultos pensavam no que fazer, o menino decidiu:

— Eu vou escrever um, posso?

Claro que podia. Pegou-se um arquivo, que ainda existe, com folhas amareladas e sua caprichada letra de menino. O alfabeto ele conhecia, escrevia direitinho, e depois de uma semana chuvosa de férias saíram vários verbetes.

Alguns deles aqui vão:

Alface. Alface é uma verdura. A alface é de comer mas eu não como alface. Ela é verde na folha e branca no cabo. Minha mãe diz que salada faz bem pra saúde mas eu não como salada. Azar o meu.

Argola. A argola é um tipo de círculo. Ela é bem redonda. Eu vi na televisão que no circo tem argolas grandes e pequenas. Os homens do circo pegavam as argolas grandes, botavam fogo, e o tigre tinha de pular no meio. Coitado do tigre.

Amigo. Amigo é uma pessoa que gosta da outra. Daí é amigo. Eu sou amigo da minha família e da família da nossa empregada. A gente devia ser amigo de todo mundo. Mas às vezes não dá.

Afogado. Afogado é uma pessoa que se afoga. Na praia eu vi pessoas afogadas e os salva-vidas iam lá e salvavam elas. Os salva-vidas são pessoas que salvam as pessoas. Um homem que se afoga mas fica vivo é porque não tinha se afogado muito. Eu nunca me afoguei.

Bonito. Bonito é uma coisa que se chama de bonito. Por exemplo: uma pessoa que seja o contrário de feia é bonita. Eu, minha mãe, meu pai e meus irmãos somos todos bonitos. Ainda bem. Mas o mundo que Deus fez é o mais bonito de tudo.

Livro. Livro é uma coisa muito boa porque eu gosto de ler. Eu já li um monte de livros mas meu irmão pequeno só rasga eles. Tem uns livros que são de histórias e outros que são de estudar. Eles já são feitos para isso. Meu pai escreve livros para estudar. Nós aprendemos lendo e estudando, mas também aprendemos com as professoras ou nem precisava existir professora.

Mala. Mala é uma coisa com tampa, parece uma caixa mas não é de madeira, é de couro. A mala serve para botar a roupa quando a gente vai viajar. Não gosto de olhar uma mala porque me lembro de que às vezes meu pai viaja e quando ele viaja eu tenho saudades dele. Ainda bem que ele sempre volta.

Ninho. Ninho é uma coisa que os passarinhos fazem para morar, para dormir, para botar os ovinhos e para ter os filhotes. Numa árvore da minha casa tem um ninho de passarinho. O ninho é feito de muitas coisas que eles vão juntando por aí, pedaços de pau, pedaços de pano, folhas secas e tudo isso. O ninho do joão-de-barro é bem diferente porque parece uma casa de verdade feita de barro. O ninho do joão-de-barro parece um iglu. O iglu é a casa dos esquimós que moram no gelo. Lá deve ser muito frio.

Seco. Seco é o contrário de molhado. Por exemplo: quando não chove fica tudo seco. Quando o sol fica raiando muitos dias tudo fica seco. Sem sol nada fica seco. Aí a mãe reclama que está tudo úmido. Úmido é um tipo de molhado. Mas o sol não pode raiar o tempo todo. Porque daí todas as plantas se queimam e então também tem que existir a chuva. Que é molhada.

Seringueira. Seringueira é uma planta que nasce sem flores, ela não tem flores. Ela nasce num cabinho e depois começa a aparecer um coisa muito cor-de-rosa e dali nasce uma folha e começa a vir a árvore inteira. No pátio da nossa casa tinha uma seringueira mas meu pai mandou cortar porque dizem que as raízes dela são muito compridas e estragam tudo. Mas eu gostava da minha seringueira e quando ela fosse bem alta eu ia poder subir nos galhos dela.

Xixi. Estou botando essa palavra porque só conheço essa com x mas minha mãe disse que podia. O xixi é um líquido que sai da barriga da gente. O xixi é amarelo. O xixi é importante, porque se não onde íamos botar toda a água que a gente toma? Por isso é que todos fazem xixi.

Zebu. Essa também é uma letra que eu conheço poucas palavras. O zebu é um animal. É um tipo de boi. Ele tem uma cabeça, um corpo, quatro pernas, um rabo, dois olhos, uma boca, um nariz, um pé, outro pé. E mais dois pés. O mais importante nele é o coração. Depois uns homens chegam lá e matam ele e tiram a carne dele e comem. Isso eu acho muito esquisito. E meio triste. Mas se não fosse assim como é que a gente ia comer carne.

Zero. Eu lembrei outra palavra com essa letra, o zero. O zero não é uma palavra porque é um número. Mas número a gente também escreve o nome dele. Outro dia minha mãe disse que ela é um zero na cozinha. Eu não entendi direito isso. Nota zero parece que é quando alguém é preguiçoso na escola ou burro. O zero que eu conheço é um número assim meio redondo quase como um ovo. Um cara é um zero à esquerda quando não trabalha direito. Isso aí foi meu pai quem falou.

40 | *Uma flor selvagem*

O amor é uma escultura que se faz sozinha. É uma flor inesperada sem estação do ano para surgir nem para morrer. Vai sendo esboçada assim ao léu: aqui a sobrancelha se arqueia, ali desce a curva do pescoço, a mão toca a ponta de um pé, no meio estende-se a floresta das mil seduções.

Imponderável como a obra de arte, o amor nem se define nem se enquadra: é cada vez outro, e novo, embora tão velho. Intemporal. Planta selvagem, precisa de ar para desabrochar mas também se move nos vãos mais escuros, em ambientes sufocantes onde rebrilham os olhos malignos da traição ou da indiferença, e a culpa o pode matar.

O convívio é o exercício do amor na corda bamba. Os corpos se acomodam, as almas se espreitam, até se complementam. Mas pode-se cair no tédio — sem rede —, e bocejar olhando pela janela.

Inventamos receitas para que o amor melhore, perdure, se incendeie e renove... nem murche nem morra. Nenhuma funciona: ele foge de qualquer sensatez, como o perfume das maçãs escapa num cesto de vime tampado.

Se fôssemos sensatos haveríamos de procurar nem amar, amar pouco, amar menos, amar com hora marcada e limites. Mas o amor, que nunca tem juízo, nos prega peças quando e onde menos esperamos.

Nunca nos sentimos tão inteiros como nesses primeiros tempos em que estamos fragmentados: tirados de nós mesmos e esvaziados de tudo o mais, plenos só do outro em nós.

Nos sentimos melhores, mais bonitos, andamos com mais elegância, amamos mais aos amigos, todo mundo foi perdoado, nosso coração é um barco para o qual até naufragar seria glorioso (ah, que naufrágios...).

Mais que isso, nesse castelo — como em qualquer castelo — não pode haver dois reis. Quem então cederá seu lugar, quem será sábio, quem se fará gueixa submissa ou servo feliz, para que o outro tome o lugar e se entronize e... reine?

A palavra "liberdade" teria de ser a mais presente, porém é a mais convidada a discretamente afastar-se e permitir que em seu lugar assuma o comando alguma subalterna: tolerância, resignação, doação, adaptação.

Rondando o fosso do castelo, a vilã de todas: a culpa.

Quem deixou sobre minha mesa um bilhete dizendo "Se você ama alguém, deixe-o livre" sabia das coisas, portanto sabia também o desafio que me lançava. No mundo das palavras há tantos artifícios quantas são as nossas contradições.

Por isso, conviver é tramar, trançar, largar, pegar, perder, e nunca definitivamente entender o que — se fôssemos um pouco sábios — deveríamos fazer.

Farsa, tragédia grega ou dramalhão mexicano, às vezes comédia de mau gosto, outras soneto perfeito: o amor, como as palavras, se disfarça em doces armadilhas ou lâminas mortais.

41 | *Machos e fêmeas*

Histórias de amores frustrados, relações ruins ou trágicas, fracassos, decepções, dores e rancores se multiplicam.

Chega a parecer, algumas vezes, que um amor bom, ao menos razoável, alegre, cúmplice, terno e sensual, que faça crescer, seja um bem tão raro quanto viver lúcido e saudável até os cem anos.

Fico pensando nesse dilema, que pode parecer divertido a uma primeira leitura, mas na prática é demais complexo: se não combinamos, por que — homens e mulheres — nos queremos e nos procuramos?

Pensando bem, homens e mulheres pouco têm em comum exceto a preservação da espécie: as almas são diferentes, a biologia é outra, as vontades e os interesses também. Prioridades de um e outro, nada a ver. Como tribos vizinhas mas inimigas: guerrinhas, escaramuças, ou guerra total.

Muito é cultural, concordo. Mas cada vez mais acredito que somos imensamente determinados pelo que éramos nas cavernas.

Homem saía pra caçar, voltava, fazia filhote, saía pra caçar e pra matar inimigo, voltava... e assim por diante.

Mulher ficava na caverna pra ser fecundada, parir, alimentar a família e proteger as crias. Ah, e cuidar do troglodita para que ele estivesse bem nutrido e descansado ao sair em busca de comida para ela e para as crias, e a fecundar de novo... e assim por diante.

Mudou o mundo, os hábitos se transformaram, incrivelmente muita coisa aconteceu — mas o homem e a mulher das cavernas ainda nos habitam sob a casca de algum requinte. Foi Tomás de Aquino ou Agostinho quem disse que o ser humano é um anjo montado num porco? Na guerra e às vezes na relação amorosa o animal predomina; na paz e nos momentos ternos funciona o anjo. O bom mesmo é a mistura, no ponto: nem de menos, nem de mais.

Só a impenetrável natureza explica que seres tão diversos quanto machos e fêmeas se queiram tanto, se encantem, se façam felizes — ou se detestem, se traiam, se atormentem e, quando possível, até se destruam. Ou tudo isso ao mesmo tempo. O que os diferencia das peludas criaturas originais nem é, pois, a paixão, mas o amor: amizade com sensualidade.

O que precisa um casal para ser um bom casal, amoroso, alegre, criando pontes sobre as diferenças e resolvendo com bom humor as agruras do convívio cotidiano? Penso que o bom casal é o que SE GOSTA, com tudo o que isso significa: cumplicidade, interesse, sensualidade boa, e o difícil compromisso da lealdade.

Dedicação, às vezes até devoção. Para que a gente seja, além de machos e fêmeas, pessoas que se entendem, curtem, confortam, desejam e... tudo aquilo que nas cavernas acontecia. Só que com mais graça, consciência, talvez mais delicadeza.

E aí é que (re)começam os problemas. Mas macho e fêmea não desistem — nem devem.

Pois apesar da trabalheira toda bem que a gente gosta!

42 | *Mais infância*

A cidade onde nasci era cercada de morros azuis, cobertos de mato povoado por princesas e castelos e animais de lenda, o Unicórnio, os cisnes que eram príncipes, os corvos que eram meninos enfeitiçados.

Bruxas voavam em vassouras, anões cavavam em minas de ouro enquanto Branca de Neve mordia a maçã da morte, a princesa beijava o sapo, e João e Maria tinham sido abandonados pelos pais.

— Pai, como é que deixaram os filhinhos no mato escuro só porque não tinham comida?

— Eles não sabiam o que fazer.

— E vocês nos deixariam na floresta se a nossa comida acabasse?

— Claro que não, que pergunta.

— Mas aqueles pais da história deixaram...

Ele afagava minha cabeça, enternecido e divertido:

— Filha, o pai não vai te largar no mato nunca, fica tranqüila.

— Mãe, por que o pai da Branca de Neve casou com uma rainha má que não gostava da filhinha dele?

— Não sei, pára de perguntar bobagem.

•

Já naquele tempo eu gostava de criar meu próprio breve exílio, onde seria rainha de um momento.

O esconderijo podia ser embaixo da mesa na sala — eu me considerava invisível atrás da toalha comprida, de franjas; sob a escrivaninha de meu pai; dentro de um armário; entre arbustos no jardim.

Era uma forma de ficar tranqüila para ruminar coisas apenas adivinhadas, ou respirar no mesmo ritmo do mundo: dos insetos, dos talos de capim.

Era um jeito de ter uma intimidade que pouco me permitiam: criança que demais quieta podia estar doente, demais isolada devia andar triste, demais sonhadora precisava de atividades e ocupações. Disciplina sobretudo, disciplina para compensar aqueles devaneios e a dificuldade de me enquadrar.

Então às vezes eu arranjava uma imaginária concha onde me sentia livre. Eu tentava nem respirar, para que não se desfizesse a magia.

Era também um proteger-me não sabia bem de quê. Ali nenhum aborrecimento cotidiano, nenhum mal me alcançaria. Eu não sabia bem que ameaça era aquela, mas era onipresente, onipotente e perturbadora.

Rodeando a casa havia hortênsias de tonalidades azul-pálido, azul-cobalto, arroxeadas, lilases ou totalmente violeta, em vários tons de rosa, do brilhante ao quase branco. Eram o meu castelo verde-escuro de onde brotava o inexplicado das cores.

Mas a castelã de trancinhas finas não agüentava muito tempo, logo emergia coberta de pó, e corria para a certeza do que era familiar.

Outras vezes, audaciosa, eu me afastava mais da casa e me deitava de costas na terra morna no meio de uns pés de milho no pomar. Ver o céu daquele prisma, recortado entre as folhas como espadas, era espiar por muitas portas. A perspectiva diferente que dali, deitada, eu tinha do mundo e de mim mesma era como balançar na borda de um penhasco bem alto, acima do mar.

Depois vinha o susto: o real era este aqui debaixo ou aquele, móvel e livre?

Antes que a mãe chamasse, antes que o jardineiro viesse me buscar, eu me assustava e queria de novo o simples e o familiar. Fantasia demais seria uma viagem sem volta? Ninguém — nem eu mesma — me encontraria, nunca mais?

•

Menina à beira da tarde, à margem do silêncio, no terraço. O arvoredo-mar resmunga baixo. Os talos de capim roçam uns nos outros fazendo um barulho de espumas.

No tom cinza da hora a menina vê flores, ou estrelas-do-mar?

A voz dos sapos fazendo renda para o casamento, o clique-clique da tesoura de podar também corta a língua das crianças mentirosas, a água da torneira no tanque, os passos na escada, tudo infinitamente o mesmo mar. O mar de dentro, de onde ela nasceria a cada momento.

A tempestade é um animal empurrando aquele silêncio à sua frente, atrás na cauda escutam-se pedregulhos arrastados.

Árvores e capim se movem, o mugido baixo é interrompido pela respiração do bicho marinho. A criança sente o que está vindo por cima das árvores e das águas, o quase: vem, vem, vem, vem, o monstro vem e se chama tempestade. Raspa no céu os cascos gigantes e logo vai derrubar tudo à sua passagem, com estrondo.

Um fio apenas separa o agora da catástrofe: o silêncio tão exato que entra no corpo e fura a alma de uma menina. Ela fecha os olhos e inspira aquele cheiro de maresia e terra molhada — ah, engolir tudo aquilo e fazê-lo seu. E *ser* tudo isso, sem restrições.

Silêncio de se ouvirem as agulhas dos bordados das mulheres dentro de casa. Então tudo desaba.

O céu se fende, o mar se alteia, corcovas de água se agitam nas ramagens. Tudo oscila sob uma trovoada mais forte, a bola de madeira que são Pedro lança para derrubar estrelas de vidro. Aqui e ali alguém arrasta no céu poltronas eternas; os passos do Velho golpeiam as nuvens.

A esfera de trovões com dois orifícios para seus dedos nodosos rola pela pista: estouro, lampejo, raios, são Pedro contrariado pigarreia, sua ira lampeja no horizonte.

Por fim tudo se fragmenta, desce retinindo sobre o jardim, gotas isoladas nas folhas e nas lajes. A chuvarada vem lavar o mundo.

De dentro da casa flutua a voz da minha mãe:

— Entra, não está vendo que vai chover? Um raio vai te atingir, entra!

Fingindo não ter ouvido, a menina sabia que agora a mãe estava dizendo mais uma vez a uma das empregadas:

— Essa criança está sempre no mundo da lua.

43 | *Pode tudo*

Pode a gente chegar de mais uma dessas horrendas viagens de 24 horas e quatro aeroportos e querer respirar: ficar tipo mexicano em hora de *siesta*, mas meio mundo telefonar com uns convites: a maioria, "sem retribuição pecuniária".

Aí a gente recusa os que pode (a culpa, a culpa!), aceita de coração um que não devia porque a agenda transbordou, e o resto vai ver depois. Porém aquela afliçãozinha fica roendo, roendo.

Pode a gente ter estado demais no mundo da lua e esquecer aquele compromisso dez vezes agendado e reconfirmado. Arrumar desculpa ligeiro, mas qual?

Pode o portão eletrônico da garagem empacar bem no meio do caminho, e a gente por pouco não viu e quase arranca o teto do carro — ainda bem que disso ao menos a gente se salvou.

Pode então botar o portão no manual, e nunca mais conseguir arrumar. Chega o cara da manutenção, dá aquele sorrisinho, aperta (ou desaperta?) uma virada mais na chave da engenhoca... e com ar de comiseração nem a visita cobra desta vez.O ego começa a murchar.

Pode a gente estar na mão certa numa esquina fazendo tudo direitinho, mas ser na hora errada, e sair de carro amassado e ego mais desinflado ainda. Corpo dolorido por uns dias, mas ainda bem que ninguém se feriu, e tem o seguro, e blablablá.

Registrar a idéia de que inferno zodiacal quem sabe chegou com retardo este ano, cuidado-cuidado.

Pode alguém bater estacas dias a fio numa construção aqui perto, e tudo o que a gente queria era ouvir tranqüilamente aquele Mozart: não há melhor terapia, a não ser as horas da própria, com quem entende a alma da gente, e ainda por cima nos faz sair mais animados de cada sessão.

Pode a gente ter de reler um capítulo do livro porque alguém quer saber qualquer coisa, e notar que, depois de tantas reedições, continua ali aquele erro besta que a gente certamente esqueceu de registrar pra segunda edição.

Pode alguém te deixar pendurada no pincel (seja em que parede for), e a gente ter de bancar a grande dama, ser elegante, mas mesmo assim a dor está nas olheiras ou na voz.

A essa altura, o ego rasteja embaixo do tapete.

Pode depois de tudo isso dar aquela vontade de fumar todos os cigarros nunca fumados, tomar todos os pilequinhos não tomados, sumir do mundo, passar um mês naquele *flat* na praia só olhando o mar e pensando bobagem... mas o trabalho espera e o dever chama, ai de nós.

Mas também pode, depois de um dia de ausência, uma das crianças da casa ter começado a andar e vir em direção da gente naquele passo hesitante-triunfante que enternece até um camicase de pedra, e um sorriso que desmancha todos os males acima descritos.

E afinal os primeiros sabiás bêbados inauguram a manhã quando ainda está escuro, e aquela velha chama — que não tem nome mas sustenta o mundo — ainda arde em algum canto de nós, e o nosso ego sai voando outra vez por cima de todos os telhados da Terra.

44 | *Quem nos desgoverna*

Era demais poético — e podia parecer saudosismo — o texto que eu pretendia fazer sobre o tempo em que, se dissessem que hoje em meu bairro viveríamos em casas protegidas por grades e arame eletrificado, íamos morrer de rir.

Isso foi quando as crianças achavam que o governo tomaria conta da gente, e que o poder estava do lado dos honestos, dos éticos e dos pacíficos, e que ser bom sempre trazia compensações.

Porque hoje eu falarei da sobrevivência no campo de batalha de um país onde se trava, no cotidiano, a luta pela vida nua e crua.

Não! Não falo de algum país conflitado da América Central ou Oriente: é aqui mesmo, aqui. É numa cidade que apesar de tudo ainda está menos sanguinária do que as grandes capitais, onde metralhar gente pacífica em seus carros nas avenidas é pão nosso de cada dia.

Os meandros da segurança — a segurança nossa — envolvem política e muitas manhas, mas, imagino eu, também significam competência e vontade real. Como para nós se trata atualmente de in-segurança, valeria indagar por que somos incompetentes (ou algo mais grave) a ponto de não se conseguir resgatar o país do terror que o comanda.

Hoje ainda corremos apenas feito ratos assustados: logo teremos de ser guerrilheiros.

No meio desse caos, observo com susto e ironia a novela de algum figurão do narcotráfico que conseguiram pegar, e que é mudado de uma prisão a outra para ter menos acesso a celular, visitas de toda sorte, e outros modos de continuar imperando sobre nós. Diga-se de passagem: ele cumpre o seu ofício melhor do que muitos de nós cumprimos os nossos.

Tenho medo de descobrir por que isso parece uma questão insondável, assim declarada pelos omissos ou pelos de rabo preso, e confirmado cada vez que um trágico viciado, ou um irresponsável que deseja um pouco de animação, fuma ou cheira.

Enquanto escrevo, algum dos figurões da bandidagem que nos comanda está passando uma temporada em uma nova prisão, sabe lá com que regalias e quanto poder. Alguns milhões de reais são gastos para melhorar a segurança por lá: também ali irão parar os impostos inacreditáveis que pago, pagas, pagais, pagamos e pagaremos, em troca de quase nada.

Não precisamos de nenhuma alucinada guerra para nos ferrar por tabela. Pois aqui em casa mesmo, sem ter de invadir territórios alheios, se cuida muito bem disso.

Não vejo saída. De momento, tenho pouca esperança de que alguma coisa melhore. Quem sabe um dia me fazem repensar esta afirmação. Pois acredito que o ser humano não é essencialmente burro nem perverso, e isso inclui governos e autoridades. Mas me perturba o que andam fazendo conosco: não temos poder, estamos ameaçados, e desinformados do que se passa atrás dos bastidores.

Às vezes também eu me canso da tragicomédia das desculpas e explicações dos governos, em que nem as nossas crianças acreditam mais. Aliás, seria bom começar a imaginar em que desejamos que elas acreditem: sobre quais fundamentos deverão estruturar sua personalidade, e orientar — ainda que aos trancos, como nós — as suas vidas.

45 | *Legado*

Eu quero o delírio.

Eu sou assim.

Não pretendo a integração, mas a abertura e a busca. Encontrar pode ser impossível ou desinteressante. Quero o pressentimento: comprimir a tecla do computador e explodir o ponto e arquear o contorno, varando os limites que a vida há de preencher e o sonho tornará possível.

Quero o delírio que faça as utopias virem sentar-se na minha varanda e escrever no meu computador quando a razão estiver cansada, quando a técnica parecer frívola, ou quando eu estiver descrente.

Posso lhes dizer que somos muitos: em cada um de nós outros esperam apenas o momento de saltar fora, tirar a máscara e revelar o que talvez nos amedronte. E diremos:

— Mas isso, isso aí, também sou eu?

Preciso admitir que a ambivalência nos salva de morrermos na poeira da mesmice. Também admito que seria mais fácil ser sempre o mesmo, seria mais doce levantar cada manhã sem conflito e morrer enfim sem ter jamais duvidado.

Mas não é tão simples. Desculpem, mas não somos isso.

Posso falar por mim ao menos, esta que escreve de um jeito e vive de outro, pensa de um modo mas faz diferente, tendo a marca da incoerência na testa e no coração a miragem de uma explicação para todos os desencontros.

Escuto o meu interior, onde personagens e narrativas aguardam que eu lhes confira a sua falsa realidade. Não falo de personagens e frases apenas, mas da consciência que procura motivo e sentido.

Estou bem acompanhada: comigo estão os meus irmãos, gente da minha raça, todos os que entendem que inventar ou constatar não faz a menor diferença. Somos os doidos, os palhaços, os atores de nossa própria vida: escrevemos com sangue — nas paredes, nas páginas e nas telas dos computadores: tudo só existe na medida em que o tiramos das nossas tripas e parimos do nosso sonho.

Mas também sou uma mulher do meu tempo, e dele quero dar testemunho do jeito que posso: na elaboração das minhas fantasias, mas igualmente escrevendo sobre dor e perplexidade, sobre doença e morte, a palavra na hora errada e o silêncio na hora em que teria sido melhor falar — mas a gente não sabia.

E escrevo sobre sermos responsáveis e inocentes em relação ao que acontece e ao legado que deixamos. A ambivalência que atormenta, por outro lado levanta a poeira da resignação — e faz aparecer o nosso rosto.

E nos salva.

46 | *Teorias da alma*

Ser natural passou a não ser natural. Ser natural está em crise.

Quanto mais civilizados estamos, menos somos naturais. Na época em que mais se fala em natureza, mais distantes estamos dela, com seus segredos, seus processos, sua glória e sua crueldade.

Mil artifícios para ser mais alto mais magro mais liso mais firme mais louro mais moreno mais atlético mais potente... até olhos mudam de cor, ajudados por lentes azuis ou verdes.

Também as cabeças usam de artimanhas para exercer o poder do pensamento, meditação de todos os tipos, cura pela mente, pensar positivo pode trazer fortuna, casamento, sexo fogoso, o diabo.

Em toda sorte de relacionamentos e amores infiltra-se de um lado a conceitualização, e foge pelo outro lado um bocado de bom senso e instinto saudável.

Também ou sobretudo na educação das crianças. Perplexos diante das mil teorias que nos batem à porta em toda a mídia, e a proliferação de consultórios com todo tipo de novas terapias — nem sempre fundamentadas —, estamos nos convencendo de que ter e criar filho também não é lá muito natural

Alimentados com duvidosas idéias de uma pedagogia de botequim, passamos do extremo antigo, de achar que criança não pensa, ao outro extremo: criança é complicação e nos tiraniza. Receitas de como tratar do bebê ao adolescente atormentam gerações de pais aflitos. A aflição não é boa conselheira. (Afobado, aliás, a gente vive — e ama — bem mal.)

Esquecemos o melhor mestre: o bom senso. A escuta do que temos no nosso interior, aquela coisa antiquada chamada intuição, lembram? Claro que para isso precisamos *ter* bom senso, e uma voz dentro de nós para ser ouvida — não o eco das propostas estranhas que nos são apresentadas.

Ou cada vez que o bebê chorar desafinado, a criança ficar menos ativa (ela em geral está querendo que a deixem um pouco quieta), ou ativa demais, vamos correndo procurar um especialista. Para que ele nos ensine a segurar o bebê, a dar a mamadeira, a cortar a unha, a olhar no olho, aconchegar ao peito, amar a criança nossa de cada dia.

É que, além de aflitos e desorientados pelo excesso de informação inútil, somos muito superficiais. Falta-nos o hábito de observar e refletir. Assustados com responsabilidade, escolha e decisão, despreparados como adolescentes, nos desviamos do espelho que faz olhar para dentro de nós. Cada vez mais amadurecemos tarde ou mal. Somos crianças tendo crianças.

O medo de pensar para decidir é medo de encontrar a ponta do fio na confusão do novelo, e, puxando por ela, ver tudo se desmontar.

Mas talvez fosse bom: poderíamos recolher os cacos e recomeçar. Criar uma estrutura mais natural e firme do que essa em que nos fundamos, e, baseados nela, dar aos filhos um legado — e um recado — tranqüilo e positivo, que não está em livros nem em consultórios de terapeutas.

Crise é bom para fazer pensar, ou repensar muita coisa. Por exemplo, que a gente está vivo; tem responsabilidades; pertence a um grupo ou grupos, pelo menos a uma família; está imerso num círculo de afetos ou num meio profissional. Lá influencia e é influenciado, é um pedacinho de humanidade, existe como ser pensante, amante, atuante, e todos os "antes" que a gente queira acrescentar.

Isto é, ninguém vive apenas como objeto passivo, mas inevitavelmente faz diferença: o que é de um lado muito bom, e, de outro, assustador.

Susto positivo esse, pois nos mostra que não fugindo demais das responsabilidades a gente pode modificar as coisas. Não é preciso mover montanhas: pode-se valorizar alguém, escutar uma palavra, transmitir confiança ou mostrar afeto.

Talvez essa seja uma das nossas dificuldades em sermos naturais: esperamos grandes milagres, analisamos complexas teorias, engolimos informações indigestas. Inseguros, optamos pela complicação. Aflitos, queremos que a teoria na prática sempre funcione.

Como não funciona, abrem-se manuais e consultórios fáceis, ouvem-se especialistas exaustos, fazem-se cursos e cursinhos para aprender a ser gente e lidar com o que é humano.

Tudo isso — moderno e antigo, teórico e concreto — só vai adiantar na medida em que construir sobre o indispensável alicerce da reflexão, da seriedade, da integridade. As nossas, é claro.

47 | *O sexo mais oprimido*

Deliciosa matéria em uma revista nacional: um historiador especialista em conflitos mundiais, depois de publicar livros sobre a guerra, acabou enveredando pelo território altamente minado da chamada guerra dos sexos.

A entrevista é daquelas de acender mil fogueiras de reações contraditórias: os que vão adorar, os que vão detestar. Os que vão achar de um ridículo atroz. (Eu, fiquei pensativa.)

Nela aprendemos que a verdadeira grande discriminação em nosso mundo ocidental acontece contra os homens.

Estudando a opressão que as mulheres sofriam por parte deles, o homem acabou descobrindo o contrário. Por exemplo: antes as mulheres não podiam trabalhar, mas hoje podem optar, enquanto homem nunca teve escolha. Ou trabalha e sustenta a família (mesmo que a mulher possa fazer isso sozinha), ou leva pecha de vagabundo, parasita.

As grandes inovações e invenções do mundo devem-se na maior parte aos homens porque mulheres seriam menos criativas do que eles. As realizações femininas vieram por imitação (ou pelo feio impulso da inveja).

O feminismo não apenas concedeu direitos às mulheres, mas deu-lhes ainda mais privilégios do que tinham antes, quando eram sustentadas pelos seus homens, que se esfalfavam para lhes dar uma vida fácil e segura.

Creveld não poupa nem mesmo a afirmação de que mulheres (e crianças) são as grandes vítimas da guerra: embora elas sofram, diz ele, quem afinal luta e morre são os homens. Mais um privilégio feminino.

E quanto ao poder de mando e poder econômico? A testosterona torna os homens mais agressivos e competitivos, portanto líderes naturais. Além disso, permanecem mais no trabalho, enquanto as mulheres freqüentemente saem do mercado para ter filhos e cuidar deles.

A questão diabólica de que mulheres em certos países são submetidas à extirpação do clitóris para não terem prazer bate, segundo ele, no "mito do prazer clitoridiano". Freud afirmava que mulher que só se diverte por essa via é sexualmente infantilizada. Mas o "Velho", como o chamava carinhosamente um psicanalista amigo meu, aos 80 anos também confessou não ter idéia do que afinal queriam as mulheres.

O historiador conclui a entrevista comentando que por toda parte surgem movimentos para melhorar a situação dos homens. Seria o ainda não oficializado *men's lib*, tempos atrás considerado piada.

Mesmo achando graça de algumas coisas, confesso que os argumentos do historiador não são desprezíveis. Quem sabe estamos encarando esse tema com os óculos distorcidos do preconceito?

Ou a guerra dos sexos é um grande mal-entendido, um desperdício de emoções, um tiro no próprio pé de cada lado... ou uma piada de mau gosto, em alguns casos macabra.

48 | *Pensar é viver*

Não tenho nenhuma receita, nenhum facilitador para se entender a vida: ela é confusão mesmo. A gente avança no escuro, teimosamente, porque recuar não dá. Nesse labirinto a gente encontra o fio de um afeto, pontos de criatividade, explosões de pensamento ou ação que nos iluminem, por um momento que seja. Coisas que nos justifiquem enquanto seres humanos.

Tenho talvez a ingenuidade de acreditar que tudo faz algum sentido, e que nós precisamos descobrir — ou inventá-lo. Qualquer pessoa pode construir a sua "filosofia de vida". Qualquer pessoa pode acumular vida interior. Sem nenhuma conotação religiosa, mas ética: o que valho, e os outros, o que valem para mim? O que estou fazendo com a minha vida, o que pretendo com ela?

Essa capacidade de refletir, ou de simplesmente aquietar-se para sentir, faz de nós algo além de cabides de roupas ou de idéias alheias. Sempre foi duro vencer o espírito de rebanho, mas esse conflito se tornou esquizofrênico: de um lado precisamos ser como todo mundo, é importante adequar-se, ter seu grupo, pertencer; de outro lado é necessário preservar uma identidade e até impor-se, às vezes transgredir, para sobreviver.

Discernir e escolher fica mais difícil, porque o excesso de informações nos atordoa, a troca de mitos nos esvazia, a variedade de solicitações nos exaure. Para ter algum controle de nossa vida é necessário descobrir quem somos ou queremos ser — à revelia dos modelos generalizantes.

Dura empreitada, num momento em que tudo parece colaborar para que se aceitem modelos prontos para servir. Pensamento independente passou a ser excentricidade, quando não agressão. Família, escola e sociedade deviam desenvolver o distanciamento crítico e a capacidade de avaliar — e questionar — para poder escolher.

Mas, embora a gente se pense tão moderno, não é o que acontece. Alunos (e filhos) questionadores podem ser um embaraço. Preferimos nos tornar membros da vasta confraria da mediocridade, que cultua o mais fácil, o mais divertido, o que todo mundo pensa ou faz, e abafa qualquer inquietação.

Por sorte nossa, aqui e ali aquele olho da angústia mais saudável entreabre sua pesada pálpebra e nos encara irônico: como estamos vivendo a nossa vida, esse breve sopro... e o que realmente pensamos de tudo isso — se por acaso pensamos?

49 | *Escrever, por quê?*

Por que escrevo: como encontrar algo de original para dizer na décima, na qüinquagésima ou centésima vez, sendo atenciosa como qualquer pessoa merece, sobretudo um estudante ou profissional das perguntas?

A resposta direta seria: escrevo porque sou ambivalente, insegura e desejosa de cumplicidade.

Mas, com uma pontinha de malícia, às vezes dou uma resposta torta: a questão não é *por quê*, mas "*sobre o que* escrevo".

De que falo, então, ao fazer minha literatura?

Um dos rótulos usados em relação a isso é "ela escreve sobre mulheres". Constatação falhada, pois mulheres não são meus personagens exclusivos, nem mesmo os mais elaborados: são homens e crianças, casas com sótãos e porões, dramas ou banalidades. Falo também do estranho atrás de portas, mortos que vagam e vivos que amam ou esperam.

Escrevo sobre o que me assombra, às vezes desde a infância.

Escrever para mim é sobretudo indagar: continuo a menina perguntadeira que perturbava os almoços familiares querendo saber tudo, qualquer coisa, o tempo todo. Portanto, escrevo para obter respostas que — eu sei — não existem... por isso continuo escrevendo.

E escrevo sobre possibilidades de ser mais feliz — isso, eu sei também, depende um pouco de cada um de nós, de nossa honradez interior, nossa fé no ser humano, nosso compromisso com a dignidade. De sorte, e de decisões que muitas vezes só anos depois poderemos avaliar.

Falo do que somos: nobres e vulgares, sonhadores e consumidores, soprados de esperança e corroídos de terror, generosos e tantas vezes mesquinhos. Invento para minhas criaturas muito mais do que expresso em linhas ou silêncios — sempre o mais importante de um texto meu. Mesmo que nem mencione, sei se aquela mulher usa algodão ou sedas, se a escada range quando ela caminha — ainda que nenhum desses detalhes apareça no romance. Conheço a solidão daquele homem, se cultiva medos secretos, se pensa na morte, se desejaria ser mais amado.

E quando começo a "ser" essa pessoa, quando o clima da obra me envolve e arrasta, chegou o momento em que o livro *quer* ser escrito. Então estarei aberta a ele, escutando o que se passa no meu interior. Boa parte do que escrevo brota desse caldeirão de bruxas que é inconsciente e lucidez, memória e invenção, susto e amadurecimento.

São meus e não são, esses vultos com seus destinos e desatinos — que armo e desarmo. De repente aí estão meus personagens: um olho, o contorno de um perfil, um gesto, um riso ou uma tragédia, um silêncio e uma solidão. Persigo a sua busca de significados.

Escrevo porque tenho prazer em elaborar com palavras tantos destinos cujo fio nasce em mim, produzindo novelos para que eu trabalhe minhas tapeçarias.

Escrevo para seduzir leitores: venham ser cúmplices da minha perplexidade fundamental, essa que me move.

Não se pode esquecer também que escrevo propondo uma releitura dos valores familiares e sociais de meu tempo: cada um de meus romances pode e deve ser lido como uma denúncia da hipocrisia, da superficialidade e da mentira nos tipos de relacionamento mais estranhos ou mais comuns. Não é apenas o imponderável e misterioso que me interessa, mas o grande desencontro humano.

O escritor fala pelos outros. Trabalha para que os outros sonhem ou enxerguem melhor coisas que nem ele próprio adivinha — estão além de sua visão, mas dentro do seu pressentimento.

Talvez seja essa a função de toda a arte (se é que ela tem alguma): a libertação e o crescimento de quem a exerce e de quem a vai contemplar.

Nessa medida a pessoa do escritor é desimportante: valem os questionamentos que faz, e a forma com que elabora em textos a nossa essencial contradição — matéria viva de sua contemplação e arte.

50 | *Dizer "sim", dizer "não"*

A história mais difícil de escrever é a nossa própria, complexa, obscura, inocente ou perversa — bem mais do que são as narrativas ficcionais.

Brinquei muito tempo com a idéia de dizer "sim" ou "não" a nós mesmos, aos outros, à vida, aos deuses, como parte essencial dessa escrita de nosso destino — com os naturais intervalos de fatalidades que não se podem evitar, mas têm de ser enfrentadas.

Acredito em pegar o touro pelos chifres, mas vezes demais fiquei simplesmente deitada e ele me pisoteou com gosto. Afinal a gente é apenas humano.

Nessa difícil história nossa, dizer "sim" ao negativo, ao sombrio, em lugar de dizer "sim" ao bom, ao positivo, é o desafio maior. Pois a questão é saber a hora de pronunciar uma ou outra palavra, de assumir uma ou outra postura.

O risco de errar pode significar inferno ou paraíso.

Também descobri (ou inventei?) isso de existir um ponto cego da perspectiva humana, em que não se enxerga o outro mas apenas um lado dele: seu olho vazado, sua boca cerrada, seu coração amargo. Sua alma árida, ah... O ponto cego das nossas escolhas vitais é aquele onde a gente pode sempre dizer "sim" ou "não", e nossa ambivalência não nos permite enxergar direito o que seria melhor na hora: depressa, agora.

O ponto mais cego é onde a gente não sabe quem disse "não" primeiro. E todos, ou os dois, deviam naquele momento ter dito "sim".

Viver é cada dia se repensar: feliz, infeliz, vitorioso, derrotado, audacioso ou com tanta pena de si mesmo. Não é preciso inventar algo novo. Inventar o real, o que já existe, é conquistá-lo: é o dom dos que não acreditam só no comprovado, nem se conformam com o rasteiro.

Nosso drama é que às vezes a gente joga fora o certo e recolhe o errado. Da acomodação brotam fantasmas que tomam a si as decisões: quando ficamos cegos não percebemos isso, e deixamos que a oportunidade escape porque tivemos medo de dizer o difícil "sim".

O "não" é também um ponto cego por onde a gente escorre para o escuro da resignação.

O ponto mais cego de todos é onde a gente nunca mais poderá dizer "sim" para si mesmo. E aí tudo se apaga. Mas com o "sim" as luzes se acendem e tudo faz sentido.

Dizer "sim" a si mesmo pode ser mais difícil do que dizer "não" a uma pessoa amada: é sair da acomodação, pegar qualquer espada — que pode ser uma palavra, um gesto, ou uma transformação radical, que custe lágrimas e talvez sangue — e sair à luta.

Dizer "sim" para o que o destino nos oferece significa acreditar que a gente merece algo parecido com crescer, iluminar-se, expandir-se, renovar-se, encontrar-se, e ser feliz.

Isto é: vencer a culpa, sair da sombra e expor-se a todos os riscos implicados, para finalmente assumir a vida.

Fazer suas escolhas, assinar embaixo, pagar os preços... e não se lamentar demais. Porque programamos o próprio destino a cada vez que, num tímido murmúrio ou num grande grito, a gente diz para si mesmo: "Sim!"

Este livro foi composto na
tipologia Electra, em corpo 10,5/15,
e impresso em papel off-white 90g/m²
no Sistema Cameron da Divisão Gráfica
da Distribuidora Record.